D1226855

COLECCION AUÑAMENDI

ANGEL SAGARDIA — MUSICOS VASCOS

ANGEL SAGARDIA SAGARDIA

MUSICOS VASCOS

vol. III

Colección-Auñamendi

EDITORIAL AUÑAMENDI
Estornés Lasa Hnos. - S. Esnaola, 13-Pral. - Apartado, 2
SAN SEBASTIAN

Depósito legal S. S. 221—72

PORTADA: Músico. Detalle de la pintura mural de Juan de Oliver, procedente de la Catedral de Pamplona. Año 1330.

Fot: Museo de Navarra.

Impreso en «ICHAROPENA» - F. Unzurrunzaga, Víctor Pradera, 2 - Zarauz - 1972

INDICE

OLAIZOLA Y GABARAIN, José. Compositor musical, organista, director, hombre de teatro guipuzcoano.

Nació en Hernani, el 27 de enero de 1883. Comenzó sus estudios musicales a los 8 años, con el organista de Hernani, D. Manuel Cendoya, continuando más tarde con los de armonía, composición, órgano y conjunto vocal, en la Academia de Bellas Artes de San Sebastián, fundada y sostenida por los Amigos del País. Aún alumno, fue designado profesor de solfeo de la "Sociedad Coral" que dentro de la Academia dirigía José M.ª Echeverría y a la que entre otros destacados elementos pertenecía Secundino Esnaola. Al cesar el citado director, le sustituyó Olaizola, para pasar en 1902 junto con Esnaola, al recién fundado Orfeón Donostiarra.

En 1904 fue nombrado organista de la iglesia de San Pedro, ganó por concurso en 1906 la organistía de la iglesia de Santa María de San Sebastián, sustituyendo a Santesteban. Su gran actividad le llevó a fundar la Asociación de Organistas de la Diócesis de Vitoria, Asociación de Txistularis del País Vasco en 1928 y también la célebre agrupación musical "Saski-Naski".

Su paso por la Corporación Municipal donostiarra, en dos etapas, se caracterizó por su preocupación por la educación musical a nivel popular. Reorganizó en 1920, la Banda Municipal de Música, que por entonces alcanzó su máximo nivel artístico.

Su gran conocimiento y amor por el euskera le llevó a escribir algunas obras de teatro, como *Bigar arte, ja, jai* y *Antziñako legiak.* En 1946, en ocasión del Congreso de la Sociedad Internacional de Estudios Vascos, el Ayuntamiento de San Sebastián premió su ópera *Oleskari Zarra,* que ha sido representada en diferentes ocasiones, siempre con gran éxito. De ella, dijo Gascue, el crítico musical: "Desde los primeros compases comprobé que la música está perfectamente ajustada a la índole netamente vasca del asunto y del ambiente. No hay en ellos nada, de aquel cierto énfasis que el exotismo introdujo en los cantares guipuzcoanos, a mediados del siglo último". Su labor docente musical, dejó grata muestra en destacados alumnos. En pleno campo, cerca de Burdeos, sin abandonar el ejercicio musical, transcurrieron los años del exilio, manteniendo continuos y muy importantes contactos con personalidades musicales de la vecina Francia. Habitualmente formaba parte de tribunales de Fin de Carrera en el Conservatorio Nacional de Música de Burdeos. En su producción posterior se adivina claramente la influencia de esta época de su vida.

Tuvo estrecha y buena amistad con gran parte de sus contemporáneos músicos, Usandizaga, Larrocha, Santesteban, Pagola, Guridi, Otaño, Echeveste, Dupré, Marchal, Ravel, P. Donostia, Gabiola, Sorozábal, Valdés, Esnaola, Urteaga, Almandoz, Bela Bartok, Escudero, Jordá, Zabaleta, Figuerido, etc.

Su música ha tenido sabor popular. La conocida melodía *Aupa mutillak,* tenida por popular, fue escrita por Olaizola a sus 21 años y estrenada al txistu por su autor junto con sus hermanos, en Zarauz.

Autor de la primera y más conocida versión de la célebre salutación vasca *Agur Jaunak.*

Muchos certámenes y concursos musicales le vieron triunfar, en las dos primeras ediciones del Concurso de la Canción Vasca obtuvo el primer premio con sus corales *Mendietan* y *Agur Begoñako.*

Fue académico correspondiente de la de la Lengua Vasca. De la crítica musical del País Vasco podemos recoger frases como las que siguen: "Olaizola representa en la música vasca y en el ambiente musical del País, una gran época. Es el auténtico juglar hecho maestro, el compositor que ha encajado en moldes característicos llenos de personalidad la melodía popular. Su música, religiosa o profana, cantada o sinfónica, tiende a exaltar el alma popular. Desde el txistu, hasta la orquesta, desde las voces humanas al ballet, desde las composiciones organísticas hasta la liturgia actual, su producción ha sido varia y extensa. Por devoción primero, por competencia despues, unió a su ciencia creadora una mística al servicio del arte y de su pueblo".

Fue titular organista de la iglesia de Santa María, de 1906 a 1969. Falleció en San Sebastián, el 8 de junio de 1969, a la edad de 86 años.

De su producción, más de un centenar de obras, podemos destacar como obras características:

PROFANAS:

Para txistu: *Mendian bai alai, Etxeko jaun, Mendiko aizeak* y *Aupa mutillak.*

Para piano: *Oñaze egalpean, Oyanots y Bersolaria.*

Para canto y piano: *Il da txoria, Uxo bat eldu zait* y *La alondra.*

Para orquesta: *Umezurtza* y *Gabon eguna.*

Para coro: *Agur Izar Ori, Mendietan, Agur jaunak, Maite oroi, Zaar da bersi* y *Donosti.*

Para orquesta y coro: *Urte leloak* y *Xiri-Miri.*

Para ballet: *Sorgiñeta* y *Asto ipuilaria.*

Para ópera y zarzuela: *Oleskari Zarra* y *Zorigaiztoko eguna.*

Para estampas escenificadas: *Asparrengo jaietan* y *Pasaiko batelzaleak.*

RELIGIOSAS:

Para órgano: *Marcha nupcial, Marcha fúnebre* y *Misa sobre motivos vascos.*

Para órgano y canto: *Ave María* (3) y *O cor amoris.*

Para órgano y coro: *Christus - Meza berri, Euskal-Meza, Salve Regina, Panis Angelicus* y *Koruko Amari otoitza.*

Para coro: *Or zaude Jesus, Miserere y Eguberri abestia.*

Para orquesta, coro y órgano: *Assumpta est Maria.*

Para txistu, coro y órgano: *Agur Jesusen Ama.*

M. Ol.

OLAZARAN DE ESTELLA, Hilario. Capuchino, organista, compositor, profesor de piano, txistu y tamboril.

Nació en Estella (Navarra), el 9 de febrero de 1894.

En su villa natal, a la edad de ocho años, empezó a estudiar solfeo y piano con Moisés Bailós Albéniz, organista de la parroquia de San Juan; en Pamplona cursó armonía con Bonifacio Iraizoz la que perfeccionó en San Sebastián con el maestro Francisco Escudero.

Terminada su carrera eclesiástica y ordenado sacerdote, el año 1917, al siguiente lo destinaron al Colegio de Lecároz, Baztán (Navarra), donde colaboró con el padre Donostia en conciertos de violín y piano a la par que recibió de él lecciones de composición.

En 1925, Olazarán de Estella se trasladó al monasterio de Solesmes (Abbaye Saint Pierre de Solesmes, France); estudió canto gregoriano y su acompañamiento de órgano. Ese mismo año publicó su primera obra para piano, inspirada en el folklore de Navarra, *Mutil-Dantza de Baztán,* baile de mozos; la precede un prólogo-estudio en euskera y en castellano con dioramas coreográficos.

En un certamen convocado por el Orfeón Pamplonés le premiaron su composición a cuatro voces mixtas *Done Bartolometan* (Por San Bartolomé), y en otro, su producción, también a cuatro voces mixtas, *Oración a la Virgen del Puy;* ambas páginas son como un poema musical inspirado por las fiestas del 24 de agosto del pueblo de Lecároz y por la muerte de los generales fusilados tras la iglesia del Puy, el año 1839. La poesía en vasco de *Done Bartolometan* es original de Agustín de Estella, hermano del padre Olazarán (firmaba Pater Augustinus de Lizarra), que ejerció el profesorado en el Colegio de Lecároz durante veinte años.

Ha dado extraordinaria popularidad al músico que biografiamos su Método de txistu y tamboril, publicado por la Revista de cultura vasca "Euskalerriaren Alde", de San Sebastián, en 1927, a continuación de haber ganado dicha obra didáctica el Primer Premio en el Certamen Histórico-Literario que convocó la nombrada publicación. Es el primer Método de txistu que se editó y en él han aprendido a tañerlo muchos cientos de muchachos del País Vasco.

En 1932 se hizo otra edición considerablemente aumentada, con portada en colores, artística y simbólica, del artista navarro Francisco Javier de Frutos, y en 1955 apareció una tercera edición con un estudio arqueológico titulado "Iconografía del Txistulari", en el que se reproducen figuras de txistularis de las fachadas del Monasterio de la Oliva (Navarra), Catedral e iglesia de San Cernin, de Pamplona, iglesia de Sainte Engrace (Zub.), etc.

El padre Olazarán es autor de las piezas para tres voces de txistu con tamboril (premiadas en diferentes concursos): *Eguberria* ("Navidad"); *Mixintxo* ("Gatito"); *Litxu* (nombre propio); *Txoriak* ("Los pájaros"); *Arkaitzak* ("Las rocas"), y *Edurne* ("Nieves").

El año 1929 publicó, en partitura para piano, con prólogo-estudio, el *Baile de la era de Estella,* y en 1931 el *Ingurutxo,* de Leiza, precedido de prólogo bilingüe, castellano y vasco, en el que estudia las melodías que recogió directamente del viejo txistulari de Leiza, Evaristo de Elduayen.

Con destino a sus pequeños alumnos de piano compuso cinco piezas tituladas *Infantiles,* y para acompañar ejercicios de gimnasia, un cuaderno para canto y piano *Gimnasia Lecároz,* según el método sueco "Kumbien-Ling", con música de tipo popular.

En noviembre de 1936 lo mandaron como misionero a Chile en cuya nación permaneció hasta 1963. En sus misiones por el campo chileno, su cordillera de los Andes y su orilla del océano Pacífico, empleó el txistu y tamboril de su tierra natal para amenizar sus trabajos misionales, catecismo, procesiones, actos culturales..., con gran complacencia y curiosidad de sus oyentes. En emisoras de radio de Cencepción y Valparaíso actuó narrando cuentos y leyendas piadosas con fondo musical de piano, que él mismo creaba y ejecutaba.

En "Melodías", Revista perteneciente a "Tesoro Sacro Musical", tiene publicadas el padre Olazarán una *Misa de difuntos* a una voz, colecciones de *Piezas para órgano,* y después de la reforma litúrgica, dos *Misas* en castellano, una en honor de Santa María de Echálaz (Egües, Navarra) y la otra, de difuntos, a dos voces blancas, para los niños cantores de la Escolanía de San Antonio, de la que es director.

Datan de 1957 dos cuadernos de piano con música de Navarra, *Danzas de Baztán* y *Dantza-Soñu,* y de 1966 otro cuaderno para piano *Yoku-Dantzak* ("Danzas-Juego de Navarra") que reúne diecinueve pequeñas danzas-juego.

Conserva inéditas una segunda Colección de *Danzas de Baztán* y una *Suite Navarra,* para violín y piano, realizada sobre melodías populares.

En 1968 terminó un *Tratado de gaita de Estella* en el que ha incluido seis piezas a dúo para gaitas.

Recientemente (agosto de 1969), ha sido premiado en Torrevieja como autor de la mejor composición con la obra *Mendigoizaleak.* En 1971 se le tributó un caluroso homenaje en el frontón de Estella; al acto, organizado en gran parte por Bello Portu, acudieron cuadros de danza y grupos nutridos de txistularis procedentes de todo el País.

ONDARRA, Lorenzo. Capuchino, organista y compositor.

Nació en Bacaicoa (Navarra), el 20 de noviembre de 1931.

Cursó los estudios musicales en el Conservatorio Municipal de Música, de San Sebastián; los de órgano con Tomás Garbizu y los de composición con Francisco Escudero; obtuvo los títulos correspondientes en 1961 y 1963.

Ha compuesto obras religiosas y profanas; entre las primeras: *Motetes polifónicos* para voces blancas; *Pascua Gregoriana,* para orquesta; *Escenas de la Pasión; Poema Franciscano,* etc., y entre las segundas: *Canciones de Navidad,* para voces mixtas, sobre textos clásicos, uno de Gómez Tejada de los Reyes, tres de Lucas Fernández y otro popular. Estas obtuvieron premio en concurso convocado por la Asociación de Belenistas, de Pamplona, y recibieron la primera audición en diciembre de 1965 en el teatro Gayarre, de Pamplona. *Canciones populares catalanas,* galardonadas en concurso del Orfeón Catalán, en 1965 y estrenadas por la masa coral citada, en el Palacio de la Música, de Barcelona, en noviembre de 1968; dos *Poemas vascos,* para voces graves, etc.

Ha colaborado en la edición de producciones del padre Donostia y realizó una reducción de la ópera "Zigor", de Francisco Escudero, por encargo del autor.

El Premio Nacional de Música de 1969 fue dividido y lo otorgaron a los compositores Tomás Marco y al padre Ondarra por su obra *Diálogos,* para órgano y dos sextetos de cuerda, que es de escritura atonal. Es director de música del Seminario Capuchino de Alsasua.

ORFEON DONOSTIARRA

El Orfeón Donostiarra tuvo por precursores al Easonense, fundado por José Juan Santesteban el año 1865 y la Sociedad Coral de la Academia de Bellas Artes —de los Amigos del País— creada por Angel Sainz, en 1886.

En 1897 se fundó el Orfeón Donostiarra, siendo su presidente Joaquín Muñoz Baroja, y al que dirigió hasta el año siguiente Norberto Luzuriaga y de 1898 a 1902, Miguel Oñate.

En 1902, al cesar como director de La Coral José M.ª Echeverría, los miembros de ésta decidieron pasar a integrar el Orfeón Donostiarra, entre otros, Secundino Esnaola, José Olaizola, Manuel Arruti, Sabadie, etc.

El Orfeón Donostiarra fue reorganizado este mismo año y siendo presidente Hilarión Sansinenea, nombraron director a Secundino Esnaola, quien lo dirigiría hasta su muerte y al que colocó entre los mejores de Europa.

Al Donostiarra se le asignó una misión concreta: conservar y difundir el canto vasco, por lo que desde su presentación, además de interpretar el *Gernikako Arbola,* cantó la *Jota navarra,* de Brull, *Laurak bat* y *Kantaritalde donostiarrari,* de Zabala.

De 1903 a 1906 lo presentó en concursos que tuvieron lugar en Royan, San Sebastián —luchó, entre otras masas corales, con las de Bayona, Hendaya, Rentería, Tolosa, Motrico, Guernica...—, Zaragoza —uno de los contrincantes fue el Orfeón Pamplonés—, Bilbao y París, consiguiéndole once primeros premios y cuatro segundos.

En 1906, el Orfeón Donostiarra, cumpliendo su empeño de divulgar el folklore del País, estrenó las obras lírico-teatrales vascas *Txanton Piperri* y *Amboto,* de Zapirain, y pocos meses después ejecutó en primera audición la *Rapsodia vasco francesa,* una de las primeras páginas de Usandizaga, y la pastoral lírica *Mendi-Mendiyan,* del mismo compositor.

En 1910 se agregaron al Donostiarra un coro de niños y de mujeres, lo que le permitió abordar toda clase de música polifónica; así, paulatinamente, programó el *Requiem* de Brahms, la *Novena Sinfonía* y la *Misa en "Re"* (fragmentos), de Beethoven, *Nocturnos* y *La demoiselle élue* de Debussy, *Dafnis y Cloe* de Ravel, *Requiem* de Fauré, etc.

De 1897 a 1929, además de sus actuaciones en San Sebastián, realizó los siguientes viajes: Royan (1903), Zaragoza (1904, 1919 y 1922), Bilbao (1905, 1920 y 1929), París (1906), Toulouse (1908), Barcelona (1910 y 1920), Hendaya (1912), Madrid (1912, 1916, 1920 y 1929), Cauterets y Lourdes (1921), Burdeos (1923), San Juan de Luz (1924), Lisboa y Oporto (1925), Oviedo (1927), Vitoria (1928) y Sevilla (1929). Estas actuaciones en la capital andaluza las motivó la Exposición y fueron realizadas junto con la Sociedad Coral de Bilbao, formando un Orfeón Vasco.

El viaje a Sevilla lo hizo Esnaola encontrándose enfermo y, al regreso, falleció el 22 de octubre de 1929. Hasta este año la Agrupación llevaba celebrados trescientos veinte conciertos.

Juan Gorostidi se encargó provisionalmente de la dirección y en 1932 fue nombrado titular de él. Si Esnaola colocó al Orfeón Donostiarra entre los mejores del país, Gorostidi lo situó entre los más sobresalientes de Europa. De 1932 a 1957 amplió su repertorio con unas cuarenta obras sinfónico-corales —se hallan entre ellas, obras de los compositores vascos Otaño, Pagola, Guridi, Usandizaga (José María y Ramón), Almandoz, Escudero, Sorozábal...) y unas cien "a capella", también varias de maestros vascos. Bajo la batuta de Gorostidi, entre otras jiras ha realizado las siguientes: Lisboa (1945), París (1949), Niza y Roma (1950), Burdeos (1950, 1951, 1952, 1953 y 1957), Barcelona (1940, 1944,

1945 y 1947), Madrid (1932, 1934, 1941, 1945, 1947, 1948, 1953, 1955, 1956 y 1957); ha intervenido en los Festivales de España de Santander, Granada y Sevilla.

En las audiciones sinfónico-corales de los años de referencia ha sido dirigido por los maestros Arbós, Pérez Casas, Manuel de Falla, Conrado del Campo, Argenta, Arámbarri, Ramón Usandizaga, Jordá y, entre otros extranjeros, por Granz Hosselin, Paul von Kemper, Igor Markevitch, Charles Munch, Leopoldo Stokoski, Unger, etc.

Desde 1957 ha continuado actuando, puede decirse que ininterrumpidamente tanto en el país como en el extranjero, y son de destacar sus anuales viajes a Madrid para, con la Orquesta Nacional, dirigida por su titular el maestro Rafael Frühbeck de Burgos, interpretar *La Pasión según San Mateo* de Bach, el *Requiem* de Brahms, el de Verdi, etc. En la temporada 1967-1968 se presentó tres veces.

El Orfeón Donostiarra ha hecho numerosas grabaciones y tiene un sinfín de galardones, entre ellos: Cruz de Alfonso X el Sabio, Premio Nacional de la Música, Medallas de oro de Madrid, San Sebastián y Zaragoza, de plata de Manresa y Burdeos, Primer Premio del Concurso Internacional de Orfeones de París, Cruz Pro Eclessia...

En el verano de 1968, cuando el Orfeón preparaba actuaciones en el Festival de Santander y dos en Madrid, después de corta enfermedad, murió su director, el maestro Juan Gorostidi, el 14 de agosto. Las intervenciones de referencia, llevadas a cabo con la Orquesta Nacional constituyeron sentidos homenajes al director fallecido.

En noviembre del citado año, 1968, fue elegido director del Orfeón Donostiarra el joven maestro Antonio Ayestarán, que venía desempeñando la subdirección. En la indicada fecha nombraron consejero artístico a Rafael Frühbeck, de Burgos, director de la Orquesta Nacional.

BIBLIOGRAFIA:

Juan Gorostidi, "Orfeón Donostiarra, Memoria artística, 1897-1929"; "Orfeón Donostiarra, 1897-1957. Do-mi-sol-do", n.º 27.

ORFEON OLITENSE. Masa coral de Olite (Navarra).

Fue fundado por el padre José María Ibarbia, profesor de música y maestro de capilla del Seminario Franciscano de Filosofía de Olite, el 12 de diciembre de 1957 e integrado por unas ochenta voces. Tal fue el entusiasmo y facultades vocales de los coristas, que a los veintidós días de su creación, el 3 de enero de 1958, dio el primer concierto.

Durante los diez años que lo ha dirigido Ibarbia ha actuado, siempre con éxito, en Vitoria, Santander, Pamplona, Bilbao, San Sebastián, Zaragoza, Barcelona, Madrid, etc. Ha impresionado discos y posee un amplio repectorio en el que se encuentran obras de los compositores vascos Olaizola, García Leoz, González Bastida, Sorozábal, Zubizarreta, etc., y páginas de los grandes polifonistas. La masa coral olitense ha mostrado un exacto equilibrio en las cuerdas, conjunción exacta y gran musicalidad.

El 29 de octubre de 1967 cesó Ibarbia en la dirección del Orfeón, por cambio de residencia a Santander, y tomó posesión del cargo Julián Montoya, natural de Olite. Esta coral cuenta con el ochote "Erri-Berri", que desarrolla audiciones y concurre a concursos.

ORFEON PAMPLONES

Tiene sus orígenes en el fundado en 1865, por Conrado García (del que fue director Joaquín Maya y subdirector Mariano García), y en el creado en 1881 con el título de "Ateneo Orfeón Pamplonés"; existió hasta 1887 y le sucedió otro que tuvo vida precaria.

El actual Orfeón se constituyó el 27 de marzo de 1891 al ser nombrado director de él el maestro Remigio Múgica, que inmediatamente preparó medio centenar de cantores y al año siguiente concurrió a un Concurso de Orfeones en Bilbao, obteniendo tres primeros premios: el de lectura a primera vista, el de libre elección y el de la obra impuesta.

Bajo la eficaz dirección de Múgica, que tuvo una duración de cincuenta y cuatro años —hasta 1946, en que abandonó el cargo por su avanzada edad—, logró veinticinco primeros premios más; el que hizo este número lo consiguió en 1919 en la capital de Vizcaya; con él cesó el ciclo de asistencia a concursos. En cuantos conciertos desarrolló en el país y en el extranjero consiguió triunfos resonantes de público y crítica interpretando obras orfeónicas y con orquesta. Merecen nombrarse las siguientes, los directores que las condujeron y los años de interpretación que tuvieron por escenario Madrid: *Misa* de Beethoven, Arbós, 1927; *El rey David,* de Honegger, y *Novena Sinfonía,* de Beethoven, Saco del Valle y Ricardo Villa, 1931; *Castilla,* de Arámbarri, *Magnificat* y *Misa en "Si" menor,* de Bach, *Misa* de Beethoven, y fragmentos de *El Mesías,* de Haendel, Arámbarri, 1942 (bodas de oro del Orfeón).

Al cesar, en 1946, el maestro Remigio Múgica, le sucedió Martín Lipuzcoa; cuando sólo llevaba siete meses al frente de la Agrupación se desplazó con ella a Madrid; celebró tres conciertos: uno, a voces solas y los otros dos con la cooperación de la Orquesta Nacional dirigida por Argenta, en los que se escucharon la *Novena Sinfonía,* de Beethoven, y fragmentos de *Los maestros cantores* y *Parsifal,* de Wagner. Obtuvo éxitos completos.

A Lipuzcoa sucedieron Juan Eraso y Pedro Pirfano que continuaron llevándolo en triunfo; resonantes los logró los años 1961 y 1962 en Oporto, Coimbra, Lisboa, La Haya y Amsterdam, en colaboración con la Orchestre Residentie, de La Haya, con su maestro titular Willem van Otterloo; figuraron en los programas, entre otras obras, la *Misa de Requiem,* de Verdi, y *Juana de Arco en la hoguera,* de Honegger. Esa jira fue verdaderamente triunfal y a las producciones programadas, el Orfeón, dirigido por Pedro Pirfano, añadió varias a voces solas; entre éstas interpretaron obras de carácter folklórico, zortzicos, jotas, sardanas, etc., recibidas por los oyentes con el mayor alborozo e interés.

De 1963 a 1967 realizó jiras con actuaciones, entre otras capitales, en San Sebastián (programó *Variaciones Canónicas,* de Bach-Strawinsky, *Apparabit repentina dies,* de Hindemitt y *Sinfonía de los Salmos,* de Strawinsky); Burdeos; Madrid (interpretación de la *Novena Sinfonía,* de Beethoven); Granada; Valencia; San Juan de Luz (ejecuciones de *Sinfonía de los Salmos,* de Strawinsky, *Salmos hungáricos,* de Zoltan Kodaly, y *Carmina Burana,* de Carl Orff), y Barcelona (en programa *La demoiselle élue* y *El martirio de San Sebastián,* de Debussy). En las obras que quedan enumeradas colaboraron las orquestas Sinfónica, del Conservatorio donostiarra; Sinfónica de Burdeos; Nacional de España; Sinfónica Levantina; de la Televisión Francesa; "Ciudad de Barcelona" y "Santa Cecilia", de Pamplona, y fueron dirigidas por los maestros Pedro Pirfano, Jacques Pernoo, Frübeck de Burgos, Charles Bruck y René Leibowitz.

El Orfeón Pamplonés, con la existencia activa de la que son muestras las actuaciones que quedan enumeradas, ha cumplido, en pleno triunfo, en 1967, sus bodas de diamante por las que le ha sido concedida la Corbata de la Orden de Alfonso X el Sabio.

En octubre de 1968 ha sido nombrado director del conjunto coral pamplonés Carmelo Llorente.

ORFEON VERGARES

Fue fundado en Vergara (Guipúzcoa), el año 1923 y hasta 1971, en que murió, lo dirigió el maestro Román Oyarzábal Iruretagoyena.

Dos años después de su creación logró el primer premio en el Concurso de Orfeones de carácter internacional que se celebró en Santander, en 1925. Desde esta fecha no ha cesado de obtener éxitos en todas sus actuaciones llevadas a cabo en Vergara y en las más importantes poblaciones, tales como Madrid, Barcelona, San Sebastián, Bilbao, Pamplona, Vitoria, Salamanca, Zaragoza... En diversas ha colaborado con distintas orquestas, bajo la dirección de los maestros Arámbarri, Odón Alonso, Frühbeck de Burgos, Spiteri..., siendo intérprete de las *Misas de Requiem* de Verdi, Berlioz, Fauré, Mozart y Brahms; los Oratorios *El Mesías,* de Haendel, y *La Creación,* de Haydn; la *Misa de la Coronación* de Mozart; *Illeta,* de Francisco Escudero, etc.

Además de las obras de orfeón y orquesta nombradas, cuenta en su repertorio con numerosas páginas corales de compositores vascos, entre otros de José María y Ramón Usandizaga, Norberto Almandoz, Jesús Guridi, Sorozábal, Mocoroa, Esnaola, José

María y Miguel González Bastida, etc., y diversas piezas de polifonía religiosa de Victoria, Palestrina, Goicoechea, Refice...

Desde hace dieciséis años celebra unos importantes festivales musicales en la iglesia parroquial de San Pedro Apóstol de Vergara, con motivo de las fiestas de San Martín.

El Orfeón Vergarés se halla subvencionado por la Diputación Provincial de Guipúzcoa, Ayuntamiento vergarés, Cajas de Ahorros Provincial y Municipal, y en su domicilio cuenta con una amplia sala de ensayos, cedida por el Ayuntamiento de Vergara, en la que dispone de un piano de media cola marca Berschetein, regalado por la Caja de Ahorros Municipal de San Sebastián.

Entre las más recientes actuaciones del Orfeón Vergarés, y en las que logró legítimos triunfos, se destacan las que realizó en la temporada 1968-1969 en la VII Semana de Música Religiosa de Cuenca, y en el teatro Real, de Madrid, en unión de la Orquesta Sinfónica de la R. T. V.

En abril de 1971 nombraron director a Miguel González Bastida, de Vergara, director de la Banda Municipal y hermano de José María González Bastida, director del Coro Easo, de San Sebastián.

ORQUESTA "SANTA CECILIA", de PAMPLONA.

La Orquesta "Santa Cecilia", que es la más antigua del país, fue fundada el año 1879 y a ello no fue ajeno Pablo Sarasate, protector suyo hasta su fallecimiento, en 1908, ya que la hacía intervenir en los conciertos que organizaba anualmente para San Fermines, en los que, además de interpretar obras de orquesta sola, colaboraba en la ejecución de la *Sinfonía Española,* de Laló; el *Concierto,* de Max Bruch; el *Rondó Caprichoso* y los *Conciertos en "La" mayor y "Si" menor,* de Saint-Saëns, y en la *Rapsodia Asturiana,* de Ricardo Villa, producciones éstas compuestas por sus autores para el inolvidable violinista navarro.

Han estado al frente de la Orquesta "Santa Cecilia" grandes directores tanto nacionales como extranjeros; entre los primeros, Ricardo Villa, Enrique Jordá, Luis Morondo, Joaquín Gasca, Bruno Muñoz, Javier Bello Portu, etc., y entre los segundos, Saint-Saëns (estrenó su *Danza macabra*), Pierino Gamba, etcétera. Han actuado con ella famosos solistas: Sarasate, Berta Marx, Michelangelli, Uninski, Thibaud, Cubiles, Sainz de la Maza, Hernández Asiain, Echeveste, Huarte, etc.

Durante muchos años celebró audiciones de primavera bajo la dirección del maestro Villa, en los que dio a conocer obras de Wagner, antes que otras masas orquestales del país.

En 1932 sufrió una reorganización y, dirigida por Joaquín Gasca, desarrolló veintidós sesiones en una sola temporada y actuó, entre otras capitales en San Sebastián, Logroño, Burgos y Biarritz.

A partir de 1940 asumió la dirección Felipe Muruzábal, violinista que había pertenecido a la Orquesta; le sucedió Luis Morondo, que le proporcionó grandes éxitos. En los años 1961 y 1962 la dirigió Bruño Muñoz, oboe solista de la Orquesta Sinfónica de Bilbao y subdirector de la Banda Municipal de la ciudad nombrada.

Desde 1963 se halla a su frente Javier Bello Portu, que suele dirigirla unas diez veces por curso con constante renovación de programas.

La Orquesta "Santa Cecilia" se halla patrocinada por la Institución "Príncipe de Viana", Diputación Foral de Navarra, Ayuntamiento, Cajas de Ahorro Navarra y Municipal y Ministerio de Educación y Ciencia. En 1969 la orquesta prácticamente desapareció y las patrocinadoras se hicieron cargo de ella; en octubre del mismo año fue reorganizada con nueva junta, nuevos emolumentos, nuevos planes de trabajo, etc. Su plantilla se eleva de alrededor de cincuenta a sesenta ejecutantes fijos. Los conciertos han de ser mensuales, cuatro de ellos en provincia y el resto en la capital. La Junta Directiva está constituida por los siguientes miembros: presidente, D. Félix Huarte; vicepresidente, D. Marcelo Lumbier; vocales, D. Mariano Carlón, D. Justo Luis Tabuenca, D. José María García Nina y D. Rafael García Serrano; secretario, D. José Udobro; tesorero, D. Eugenio Asiain; archivero-bibliotecario, D. Tomás Martínez; director de la orquesta, D. Javier Bello Portu.

ORQUESTA SINFONICA DE BILBAO

En la capital de Vizcaya se contó con orquestas de conciertos por los años 1852 (de la segunda Sociedad Filarmónica); 1880 (de la Academia Vizcaina de Música); 1905 (llamada "Sociedad de Conciertos de Bilbao", la dirigieron José Sainz Basabe y Crickboom); 1914 (Orquesta formada por profesores pertenecientes a la "Asociación Musical", se puso a su frente Jesús Guridi en un solo concierto y después Sainz Basabe), y 1922; ésta se denominó "Sinfónica de Bilbao", tuvo existencia de mayor duración que las anteriores; la fundó Armando Marsick, ocuparon el atril directorial varios maestros, uno, Wladimir Golschmann, durante cuatro años y, en 1933 se nombró director a Jesús Arámbarri, que acababa de terminar sus estudios —mediante la beca "Premio Juan Carlos de Gortázar"—, con el citado Golschmann y Weingartner, en París y Basilea, respectivamente. Arámbarri debutó el 12 de enero, en el Salón de la Sociedad Filarmónica, en una sesión musical en la que colaboró la pianista Clara Bernal (interpretó un *Concierto* de Ravel) y la soprano Josefina Roda, que cantó las *Ocho Canciones Vascas* del nuevo Director, que pronto había de ser su marido.

En 1939 se contaba en Bilbao con Orquesta Sinfónica y Banda Municipal y se transformaron los dos organismos en una nueva entidad que con el nombre de Orquesta y Banda Municipal funcionarían bajo la tutela del Municipio, realizando ambas agrupaciones la misión inherente y peculiar a cada una.

La Municipal de Bilbao hizo su presentación en la nombrada capital, el 25 de febrero de 1939, bajo la dirección del maestro Jesús Arámbarri, director titular. El Ayuntamiento bilbaino, al crearla, fundó la primera Orquesta Municipal de la península.

Desde su debut desarrolló gran actividad; en el curso de ocho años, de 1939 al 25 de febrero de 1947, dio trescientos conciertos, y de ellos ciento diecinueve fuera de Bilbao, alcanzando una decena en Oviedo, San Sebastián, Vitoria y Zaragoza. En algunas de esas actuaciones la dirigieron varios maestros nacionales y extranjeros y colaboraron numerosos solistas. Arámbarri prestó atención a los compositores vascos y dirigió obras de Francisco Escudero, Jesús Guridi, Eduardo Mocoroa, Arriaga, Padre Nemesio Otaño, Sarasate, Sorozábal, Isasi, Usandizaga, Zubizarreta, suyas, etc., y de los considerados vascos, por haberse domiciliado en el país y en él haber realizado parte de su creación musical o toda, Julián Menéndez, Tomás Aragüés, Sabino Ruiz Jalón y José Franco. Han colaborado con la Municipal los concertistas del País, Aurelio Castrillo, Joaquín Achúcarro, Luis Antón, Eduardo Hernández Asiain, Josefina Roda, etc.

Dos actuaciones memorables de la Municipal bilbaina son las que llevó a cabo en el teatro de la Zarzuela, de Madrid, en 1952; intervino la Sociedad Coral, de Bilbao, que a la sazón dirigía Modesto Arana.

Arámbarri estuvo al frente de la Orquesta que nos ocupa hasta desplazarse a Madrid, el año 1953, para dirigir la Banda Municipal madrileña y desempeñar una cátedra de armonía en el Conservatorio.

Le sucedió Ives Limantour.

La Orquesta Municipal se convirtió en Sinfónica e hizo su debut en la temporada 1959-1960, bajo la dirección de su nuevo maestro Rafael Frühbeck de Burgos. En diciembre del segundo año mentado llevaba celebrados más de seis conciertos. Dos fueron dirigidos por Eduardo Toldrá y Bruno Muñoz.

A Frühbeck le sucedió Alberto Bolet. A éste, Pedro Pirfano, que en 1968 firmó contrato por dos años.

ORQUESTA SINFONICA DEL CONSERVATORIO, de SAN SEBASTIAN.

A los pocos días de celebrarse, en 1941, la festividad de Santa Cecilia (22 de noviembre), un grupo de instrumentistas donostiarras sugirió al maestro Ramón Usandizaga, a la sazón director del Conservatorio, la formación de una orquesta de conciertos. El hermano del fallecido Joxe-Mari encontró acertada la idea y con profesores de las desaparecidas orquestas Sinfónica y Filarmónica y de la Banda Municipal, que habían sido dirigidas hasta julio de 1936 por Alfredo Larrocha, César Figuerido y Regino Ariz, constituyó la Orquesta Sinfónica del Conservatorio de San Sebastián que, después de un período de ensayos, se presentó en 1942.

Fue su director Ramón Usandizaga, hasta fallecer el 24 de junio de 1964. La han dirigido nuestros más eminentes maestros: Pablo Sorozábal, Enrique Jordá, González Bastida, Rafael Frühbeck de Burgos, Pedro Pirfano, Vicente Spiteri, Enrique García Asensio, etc.

Su plantilla es de sesenta y cinco profesores y la rige un patronato compuesto por representantes de las entidades subvencionadoras —Ayuntamiento, Diputación, Cajas de Ahorros Municipal y Provincial— y seis vocales.

Es su director el tolosano Javier Bello Portu (que dirige también la Orquesta "Santa Cecilia", de Pamplona) y adjunto el compositor Francisco Escudero, director del Conservatorio Municipal de Música.

Lleva realizados un número considerable de conciertos, cuenta con un amplio repertorio y ha interpretado en primera audición importantes composiciones extranjeras y de autores vascos: Padre Donostia, *Misa pro defunctis, Glosa libre, Acuarelas vascas* y *Enfantines;* Pablo Sorozábal, *Dos apuntes vascos* y *Suite Vitoriana;* Jesús García Leoz: *Akelarre en Zugarramurdi;* Mocoroa, *Sorgiñ-ots;* Francisco Escudero, *Concierto Vasco,* para piano y orquesta y *Evocación de Iziar;* Fernando Remacha, *El baile de la era;* Jesús Guridi, *Diez Melodías vascas* y *Espata-Dantza* de la ópera *Amaya;* José de Olaizola, *Urte-Leloak* y *Nuestra Señora del Koro,* etc.

En 1967 la Orquesta donostiarra conmemoró las bodas de plata de su creación, con un ciclo de seis sesiones en las que intervinieron los Coros "Easo", de San Sebastián, y "Ametsa", de Irún, y los solistas guipuzcoanos Pedro Corostola y Nicanor Zabaleta (violoncellista y arpista, respectivamente). En el curso de los años 1966 y 1967 han colaborado los Orfeones Donostiarra y Pamplonés; los Coros "Stella Maris", "Santa Cecilia", "Maitea" y "Easo", de San Sebastián, y la Coral "Loinaz", de Beasain y, entre otros solistas: Eduardo Hernández Asiain, Hermes Kriales y Josefina Salvador, violinistas; José Antonio Medina Labrada, Juan Padrosa y Consolación de Castro, pianistas; Marimi Azpiazu, arpista; Primitivo Azpiazu, flauta; Manuel Gómez de Edeta, trompa; Ernesto Bitteti, guitarra, etc., y los cantantes Nekane Lasarte, María Angeles Olariaga, Carlos Fagoaga, Ricardo Muniain, José Ramón Orozco, etc.

La Orquesta Sinfónica del Conservatorio actúa con frecuencia en Irún, Tolosa, Beasain y otros lugares del País Vasco, y ha tomado parte en Festivales de España, "Fiestas Eúskaras", en los Ballets de Antonio y de la Opera de París, en el festival Bach, en la Antología de la Zarzuela, etc.

ORTIZ DE ZARATE, José. Barítono.

Nació en Bilbao, en fecha indeterminada.

En Vitoria, donde estaba domiciliada la familia Ortiz —el padre de José era ingeniero industrial—, aprendió las primeras letras y cursó el Bachillerato, ya que sus padres deseaban que fuese ingeniero. Mas, atrayéndole la música y el canto, recibió lecciones de Federico Baraibar que continuó en Madrid.

Debutó muy joven y alcanzó popularidad triunfando con la opereta vienesa, *La viuda alegre, El conde de Luxemburgo, La mujer divorciada,* etc., que dio a conocer en el País Vasco y en América, donde actuó más de diez años.

OTAÑO Y EGUINO, Nemesio, S. J. Compositor y musicólogo.

Nació en Azcoitia (Guipúzcoa), el 19 de diciembre de 1880. Murió en Ategorrieta (San Sebastián), el 29 de abril de 1956.

Muy niño perdió a su padre y lo prohijaron unos tíos que residían en Escoriaza, desde donde frecuentemente se desplazaban a Zumárraga y San Sebastián en cuyas localidades le proporcionaron profesores de música, pues había exteriorizado su afición y dotes extraordinarias.

En Zumárraga trabó amistad con Esnaola, que le ayudó en el aprendizaje del solfeo.

En 1894 Otaño estudió en el Colegio Preceptoría de Baliarrain, en el que compuso sus dos primeras piezas *Letanías* y un *Zortzico,* para piano; aunque sólo contaba catorce años tocaba el órgano de la parroquia de dicho lugar. En 1896 ingresó en la Compañía de Jesús, en el Noviciado de Loyola; empezó los estudios eclesiásticos y continuó los musicales.

Se esforzó en renovar la composición religiosa, ya que acababa de publicarse el *Motu Propprio,* de Pío X. Cuatro años de pulsar el órgano le ayudaron a conocer las grandes obras destinadas al citado instrumento.

En 1903 se hallaba residenciado en Valladolid; recibió consejos de Arregui Garay y Vicente Goicoechea, quien lo inició en los trabajos de musicología y folklore a los que se entregó con pasión.

Otaño organizó y encauzó el primer Congreso de Música Religiosa que se celebró en Valladolid, en 1907; era profesor de historia de la música en el Colegio de Jesuitas vallisoletano, y autor de medio centenar de composiciones sacras editadas en publicaciones regidas por Pedrell; fundó el Boletín Diocesano de Música, precursor de la "Revista Sacro Hispana".

A los veintisiete años, en el Colegio de Oña (Burgos), terminó su carrera eclesiástica y se ordenó sacerdote.

Se estableció en Comillas en 1912 y creó, en la Universidad Pontificia, la *Schola Cantorum,* integrada por más de cien voces; modificó los ensayos corales y la dirigió hasta 1919.

Otaño viajó mucho por el extranjero, en París se relacionó con Vicente D'Indy; mediante esos desplazamientos estudiaba las corrientes de la música europea, especialmente la religiosa.

De 1922 a 1931 residió en San Sebastián; creó el Centro Cultural Femenino y el Círculo de Caballeros y Colegio de San Ignacio, en los que organizó series de conciertos. Compuso una *Suite Vasca* y las obras corales *La montaña, La molinera, Cantantibus Organis, Canción del carretero, Basa txoritxu,* páginas que le estrenó el Orfeón Donostiarra e incluyó en su repertorio.

En 1932 se avecindó en Azcoitia. En 1937, con el concurso del Orfeón nombrado y la Orquesta Patriótica de Profesores Músicos de Zaragoza, desarrolló en distintas capitales unas interesantes conferencias; dio a conocer diversas páginas, fruto de sus investigaciones en el folklore musical militar.

En 1940 lo nombraron director y profesor de folklore del Conservatorio de Madrid; activo y dinámico, le consiguió edificio propio; también le encomendaron la dirección de la Revista Musical "Ritmo", cargo que ocupó hasta 1943 y hubo de dejar por sus múltiples ocupaciones. Este año, 1943, ingresó en la Real Academia de Bellas Artes de San Fernando.

La producción del padre Otaño cabe dividirla en tres secciones: musicológica, folklórica y religiosa. A la primera pertenecen numerosos artículos sobre música religiosa, biográficos (entre éstos, unos importantes acerca de Pedrell y su obra, publicados en la Revista Musical de Bilbao) y el documento y extenso trabajo *El padre Eximeno,* parte del cual utilizó como discurso de ingreso en la Real Academia citada. La segunda la constituyen el gran número de canciones recopiladas en sus andanzas por varias comarcas, que armonizó y ordenó en colecciones; muestra sus desvelos folklóricos la conferencia *El canto popular montañés* que se halla impresa y pronunció en Santander, en 1914. La tercera sección la integran una copiosa cantidad de composiciones religiosas breves que enriquecieron los archivos musicales de catedrales, parroquias y de iglesias y capillas de conventos. Una vibrante obra religiosa de Otaño es su *Marcha de San Ignacio;* la cantó por primera vez el Orfeón Donostiarra, en 1944.

En 1951 lo jubilaron del Conservatorio y dejó Madrid, trasladándose a San Sebastián. En 1954 asistió en Madrid al Congreso de Música Religiosa en el que fue figura venerable y patriarcal.

Entre otras condecoraciones poseyó la Cruz de Alfonso X el Sabio.

OXINAGA, Joaquín de. Organista y compositor.

Se supone nació por tierras de Mondragón o Vergara en la primera mitad del siglo XVIII.

Presbítero, en abril de 1740 era segundo organista de la catedral de Burgos; en 1743 pasó a la de Bilbao. Cuatro años después ingresó en la Capilla Real en calidad de organista; renunció a la plaza en 1752. En setiembre de 1750 fue electo organista de Toledo; dejó el cargo en 1754.

El padre Donostia, en su Colección de *Música de tecla en el país vasco, siglo* XVIII inserta una *Sonata* y dos *Minués,* de Oxinaga. La primera obra, dentro de su sencillez, posee cierto encanto y los *Minués* son muy rítmicos y bellos.

OYARZABAL IRURETAGOYENA, Román. Director de masas corales.

Nació en Ataun (Guipúzcoa), el 18 de febrero de 1883.

Se contó entre los discípulos de Vicente Goicoechea; además de los estudios musicales cursó la carrera de medicina.

Es director del Orfeón Vergarés, desde su fundación, en 1923. Reiteradamente le han ofrecido la dirección de otras agrupaciones corales, pero las ha rechazado para residir en Vergara.

Oyarzábal, a lo largo de los años ha proporcionado al Orfeón Vergarés amplio y valioso repertorio, tanto en obras de orfeón y orquesta como de orfeón solo; entre las primeras se destacan: las *Misas de Requiem* de Verdi, Berlioz, Fauré, Mozart y Brahms; los *Oratorios El Mesías,* de Haendel, *Elías,* de Mendelssohn y *La Creación,* de Haydn; la *Misa de la Coronación,* de Mozart; la *Novena Sinfonía,* de Beethoven; fragmentos de *Los maestros cantores* y *Parsifal,* de Wagner; el *Stabat Mater,* de Pergolessi; *Mendi-Mendiyan,* de Usandizaga; *Illeta,* de Francisco Escudero...; para orfeón solo cuenta con importantes páginas de José María y Ramón Usandizaga, Jesús Guridi, Norberto Almandoz, Sorozábal, Esnaola, Mocoroa, José María y Miguel González Bastida, etc.

Oyarzábal ha hecho triunfar al Orfeón Vergarés en numerosas actuaciones, con lo que ha mostrado sus profundos conocimientos y dotes directoriales.

Murió en Vergara, a los 88 años, el 17 de marzo de 1971.

OZAITA EGUILETA, Manuel. Profesor de flauta y compositor.

Nació en Baracaldo (Vizcaya), el 8 de agosto de 1896. Murió en Buenos Aires (República Argentina), el 19 de abril de 1966.

Inició los estudios musicales con el director de la banda baracaldesa y, dotado de extraordinarias facultades para los instrumentos de madera, especialmente para la flauta, a la edad de diez años ingresó en la nombrada Agrupación y poco después ocupó el cargo de flauta solista.

En busca de ambiente artístico propicio, a los diecisiete años marchó a la Argentina y se domicilió en Buenos Aires, donde residió hasta su muerte.

No sólo se destacó como flauta, sino también como ejecutante de otros instrumentos, piano, acordeón, violín, guitarra, etc.

Estudió las características de la música popular argentina y logró nombradía como autor de tangos, mas, desinteresado y bohemio, no se ocupaba en registrarlos, por lo que muchos que han conseguido popularidad se atribuyen a otros autores. Una obra que sí es conocida con su nombre es la que dedicó a la Virgen de la Merced en Tucumán, clásica en el Ejército y que eligió Perón para ser interpretada en ciertos actos oficiales.

OZAITA MARQUES, María Luisa. Concertista de piano y compositora.

Nació en Baracaldo (Vizcaya).

Mostró grandes facultades para la música cursando la carrera completa; composición con el maestro Fernando Remacha, órgano y canto gregoriano.

Disfrutó de una beca otorgada por el Ministerio de Asuntos Exteriores en los Cursos Internacionales de Música en Compostela; conoció el cémbalo, se aficionó a él, y durante tres años recibió aleccionamientos de la profesora Genoveva Gálvez, que amplió, mediante otra beca, en Dinamarca, con Karl Johan Isaksen y Leif Thybo.

María Luisa Ozaita desarrolla conciertos pianísticos para los que programa composiciones importantes, tanto de autores nacionales como extranjeros; de los *Preludios* del Padre Donostia, hace verdaderas creaciones.

Entre otras obras, ha compuesto y estrenado: *Canciones españolas; Sonata* para violín y piano; *Cuarteto* para voz y tres instrumentos de cuerda; piezas para guitarra; páginas para txistu; ilustraciones para *La fuente del halcón,* balada irlandesa de W. B. Yeats, instrumentadas para viola, arpa, armónium, gong y batería; *La balada de Atta Troll* y *La playa de Bayle,* ballet con coro estrenado por la compañía "Ballets de Ludmila Arana", en el teatro Arriaga, de Bilbao, el 26 de marzo de 1962; en una crítica se leyó acerca de esta partitura: "Música moderna, con momentos en los que se apuntan formas melódicas y otros en que intervienen voces mixtas que dan relieve a la interpretación escénica".

PABLO COSTALES, Luis de. Compositor.

Nació en Bilbao, el 28 de enero de 1930. Ha cursado estudios musicales, de forma privada, en Fuenterrabía y en Madrid, donde se licenció en Derecho y reside desde 1952.

Concurriendo a los cursos de verano de Darmstadt ha seguido los de Messiaen, Boulez y Stockhausen. Su contacto con el maestro Max Deutsch, discípulo de Schoenberg, ha sido muy favorable para su evolución.

Coral, para septeto de viento, a la que considera su primera obra, data de 1953; la siguen: *Sinfonías,* para 17 instrumentos de metal (primera versión), 1954; *Invenciones,* para orquesta, 1955; *Móvil I, Móvil II,* para dos pianos, 1958; *Radial,* para 24 instrumentos, 1960; *Polar,* para 11 instrumentos, 1961; *Glosa,* para voz y 4 instrumentos, texto de Luis de Góngora; *Prosodia,* para 6 instrumentos, 1962; *Tombeau,* para orquesta; *Cesuras,* para 6 instrumentos; *Recíproco,* para flauta, piano y percusión,

1963; *Escena,* para coro mixto y 18 instrumentos, 1964; *Módulos I,* para 11 instrumentos, 1964-65; *Sinfonías* (versión definitiva), 1965; *Iniciativas,* para orquesta, y *Módulos II,* para orquesta, 1966, todas ellas publicadas por "Edition Tonos", de Darmstadt.

Obras de Luis de Pablo impresas por "Editions Salabert", de París y compuestas en 1967 y 1968: *Módulos III, Módulos IV, Módulos V,* para órgano; *Imaginario I,* para 4 instrumentos; *Imaginario II,* para orquesta; *Paráfrasis,* sobre un texto musical de Tomás Luis de Victoria, para 24 instrumentos, y *Heterogéneo,* para órgano Hammond y orquesta.

A lo largo de la obra nombrada, su autor, tras sus primeros esbozos atonaldodecafónicos, que los desarrolla después en producciones de mayor libertad en las que los principios seriales los aplica de manera más general, pasa a cultivar formas más flexibles, llegando a criterios compositivos que son absolutamente personales.

R C A Española" ha grabado de Luis de Pablo: *Cesuras.* "Hispavox": *Polar, Módulos I* y *Módulos III.* "Wergo" (Alemania): *Iniciativas, Tombeau, Módulos III y Módulos IV;* "Erato" (Francia): *Polar, Módulos I* y *Módulos III.*

En 1956 Luis de Pablo logró pensión honorífica del premio "Samuel Ros" para música de cámara, y en 1959 obtuvo el premio "Acento", de composición.

Contribuyó al "Homenaje pianístico a la memoria de Juan Crisóstomo de Arriaga" (1958), con la página *Tocatta,* pensada en el momento actual, dentro del espíritu de la música de tecla del siglo XVIII en el país vasco. Composición moderna, atonal, pero sin durezas, espontánea, realizada de un solo trazo.

Es autor de los libros: *Lo que sabemos de música,* Servicio Comercial del Libro, 1966, y *Aproximación a una estética de la música contemporánea,* Ediciones Ciencia Nueva, 1968.

Ha recibido encargos para componer obras de los Festivales de Darmstadt, Donaueschingen, Royan, Zagreb, Palermo, etc.; de las entidades "Radio Nacional de España", "Radio Hamburgo", "Radio Bremen", "Radio y Televisión", de Baden-Baden, "Societá Camerística Italiana", de varias orquestas de los Estados Unidos, etc.

Durante un año ha permanecido invitado por el Gobierno alemán como "artista en residencia", en Berlín-Oeste. Es miembro del jurado de diversos premios, entre otros, de la Bienal de París.

En agosto de 1969 pronunció una serie de conferencias sobre su obra, en el Instituto "Torcuato Di Tella", de Buenos Aires, habiendo visitado ya repetidas veces Francia, Alemania, Italia, Yugoslavia, Suiza, Checoslovaquia, Polonia, Rumanía, Austria, Suiza, Estados Unidos, Méjico, Venezuela, Cuba, Líbano, Siria, etc. Sus producciones se escuchan normalmente en los centros destinados a la música de hoy, en todo el mundo.

A raíz de los estrenos de distintas composiciones, se han ocupado de ellas y de su autor, entre otros críticos europeos y americanos: Alain Périer, "La Suisse"; Robert Sichan, "Le Monde"; Roberto García Morillo, "La Nación", de Buenos Aires; Claude Rostand, "Le Figaro Littéraire"; Jacobo Romano, "Buenos Aires Musical"; Arthur Custer, "The Musical Quarterly"; Hans Heinz Stuckenschmidt, "Frankfurten Allgemeine", etc.

Luis de Pablo es fundador de los Grupos "Tiempo y Música" y "Alea"; fue presidente de las "Juventudes Musicales de Madrid", así como asesor de Música del Servicio de Educación y Cultura; consiguió beca "March", en 1965, y el premio a la popularidad, del diario "Pueblo", el año 1967.

PAGOLA GOYA, Beltrán. Pianista y compositor.

Nació en San Sebastián, el 28 de febrero de 1878. Murió en la misma capital, el 8 de julio de 1950.

Empezó a estudiar música en su ciudad natal, con Santesteban, y continuó en Madrid, con Tragó y Arín, obteniendo primeros premios en piano y armonía.

Volvió a la bella Easo y de 1898 a 1914 actuó como pianista en el Gran Casino y ocupó una cátedra en el Conservatorio donostiarra; fundó la Orquesta de este Centro.

Es autor de amplia producción inspirada gran parte de ella en el folklore vasco: *Sonata,* para piano, sobre motivos vascos; *Humoradas vascas,* para piano y orquesta; *El monje organista; Arraunketa; Sinfonieta vasca,* para orquesta de cuerda, en cuatro tiempos (interpretada por la Orquesta Filarmónica de Madrid, bajo la dirección del maestro Pablo Sorozábal, el 13 de noviembre de 1949 y el 25 de febrero de 1951), etc.

Pronunció conferencias acerca de Debussy, Ravel y otros compositores y escribió un *Tratado práctico de armonía,* en tres cursos.

PEÑA Y GOÑI, Antonio. Crítico musical y compositor.

Nació en San Sebastián, el 2 de noviembre de 1846. Murió en Madrid, el 13 de noviembre de 1896.

En su ciudad natal empezó a cursar los estudios musicales (fue uno de sus profesores el organista Santesteban), que amplió en París al mismo tiempo que aprendió a la perfección el idioma francés, colaborando en "Le Menestrele".

Avecindado en Madrid, pronto su firma apareció al pie de críticas musicales en "El Imparcial", "La Epoca", "La Ilustración Española y Americana", "El Globo", "El Tiempo", "La Europa", "La Correspondencia Musical", de Barcelona...; en "Madrid Cómico" insertó artículos satíricos y en "La Lidia", reseñas taurinas.

Buena parte de su extensa labor periodística la recopiló en diversos tomos y folletos: *Impresiones musicales; Impresiones y recuerdos; Gounod; Lohengrin en Madrid; La obra maestra de Verdi, "Aida"; Arte y patriotismo: Gayarre y Massini,* etc.

Consistió su crítica en análisis casi desprovistos de tecnicismos, con lo que puso en práctica su lema de: "tengo aprendido que la crítica musical debe escribirse para todo el mundo, *menos para los músicos*".

A través de sus escritos se descubren sus gustos y predilecciones; Meyerbeer era ídolo suyo; admiró a Wagner; defendió la zarzuela y no dispensó interés ni creyó en la implantación de la ópera española, por lo que mostró cierta animadversión por Bretón (defensor acérrimo de ella), mientras exteriorizaba excesivo entusiasmo y simpatía por Chapí; Peña y Goñi no se mostró siempre crítico imparcial.

Su obra de mayor envergadura es *La ópera española y la música dramática en España en el siglo* XIX. Llena setecientas páginas; Arrieta le enjuició con las siguientes palabras: "El trabajo del señor Peña y Goñi tiene importancia capital para la historia del arte lírico español, puesto que une a la abundancia de datos y fiel relación de hechos, críticas brillantísimas".

Gran parte de su labor musicológica y de crónicas la dedicó a música, músicos y escritores vascos, entre los que se halla el artículo sobre el literato bilbaino Sabino de Goicoechea, "Argos", y el discurso acerca de Iparraguirre, que pronunció en Villarreal de Urrechu, el 28 de setiembre de 1890, con motivo de la inauguración del monumento al autor del *Gernikako Arbola.*

Ejecutante de piano y conocedor de la armonía, compuso algunas obras de carácter vasco, entre ellas la fantasía *Vasconia* y el zortzico *Viva Hernani,* que lo estrenó Tamberlik en el Real.

La primera representación de *Manon* en la temporada del Regio coliseo 1896-1897, motivó la última crítica de Peña y Goñi, que apareció en "La Epoca", el 8 de noviembre del año primeramente nombrado. El día 13 falleció en su domicilio madrileño de la calle de Arrieta, número 4, y el 15 trasladaron su cadáver a San Sebastián, donde recibió sepultura.

PEÑAS ECHEVERRIA, Silvestre. Director y compositor.

Nació en Dicastillo (Navarra), el año 1896.

En el lugar de su nacimiento estudió solfeo, piano y armonía.

Varios años residió en Estella, desempeñando el cargo de organista en la iglesia matriz de San Pedro.

En 1923 se trasladó a Madrid, completó la armonía y cursó contrapunto, fuga, composición e instrumentación; después de opositar, ingresó en el Ejército como oficial director de Músicas Militares; alcanzó el grado de comandante y se halla en situación de retirado.

Es autor de numerosas obras, entre ellas una *Misa Solemne* dedicada a San Francisco Javier, que alcanzó premio en Certamen del año 1953; *Canciones* con acompañamiento de piano; *Marchas religiosas* para Banda; armonizaciones y glosas de cantos populares para orfeón; composiciones instrumentales inspiradas en el folklore: *Juegan y cantan los navarricos, La Dama d'Aragó* y *Merseneta,* Sardana de concierto interpretada en primera audición por la Banda Municipal de Barcelona, el año 1931, en concierto integrado por once Sardanas elegidas por su director, el maestro Juan Lamote de Grignon, cada una de las cuales la dirigió su autor, que fueron Juan y Ricardo Lamote de Grignon, Vives, Morera, Toldrá, Zamacois, Enrique Casals, Lambert, Peñas Echeverría y dos compositores más.

Tiene recopilada una Colección de canciones recogidas por él mismo; la conoció Felipe Pedrell, la elogió y le distinguió con su amistad.

Desde la fundación del Conservatorio Navarro de Música "Pablo Sarasate", pertenece a su Claustro, teniendo a su cargo varias asignaturas.

PEREZ SORIANO, Agustín. Compositor.

Nació en Valtierra (Navarra), el 28 de agosto de 1846. Murió en Madrid, el 27 de febrero de 1907.

Su padre, que era organista, le dio las primeras lecciones de música que continuó en Pamplona. Se trasladó a Madrid y en el Conservatorio se contó entre los discípulos de Zabalza. Terminados sus estudios se desplazó a Zaragoza, donde se domicilió y llevó a cabo su actividad musical.

En la capital de Aragón creó conjuntos musicales, la Sociedad de Cuartetos, organizó conciertos (algunos en el desaparecido teatro Pignatelli) y fundó la Escuela de Música.

Admirador del folklore, recopiló canciones de jota y desarrolló conferencias sobre los cantos populares aragoneses.

Compuso gran número de zarzuelas que le depararon éxito en los teatros españoles; se cuentan entre ellas *Atila* (1895); *Pepito Melaza* (1896); *Los bárbaros* (1897), y *Al compás de la jota* (1897). Sobresale *El guitarrico,* zarzuela en un acto de ambiente aragonés, libro de Manuel Fernández de la Puente y Luis Pascual Frutos, que se estrenó en el teatro de la Zarzuela, de Madrid, el 12 de octubre de 1900; en la partitura Pérez Soriano utilizó, con el mayor acierto, sus conocimientos de las características de la jota, y la Serenata o *Canción del guitarrico,* para barítono, la paseó en triunfo Emilio Sagi-Barba por toda la península, ya que hizo de ella una creación genial.

PIRFANO ZAMBRANO, Pedro. Director titular de la Orquesta Sinfónica de Bilbao. Director del Conservatorio Vizcaino de Música. Catedrático de Dirección de Orquesta y Coros del Conservatorio de Música de Bilbao.

Nació en Fuente del Maestre (Badajoz), el 19 de abril de 1929. Estudió solfeo, armonía, contrapunto y fuga en el Real Conservatorio de Música de Madrid.

Cursó los estudios de composición en el Conservatorio Superior del Liceo de Barcelona.

Igualmente realizó la carrera de canto en los Conservatorios de Barcelona (Liceo) y Madrid.

Cursó los estudios de "dirección de orquesta" en la Academia Chigiana de Siena (Italia) y en el "Mozarteum" de Salzburgo (Austria), con los maestros Celibidache, Scherchen y Von Karajan.

Fue titular del Orfeón Pamplonés, realizando jiras por el interior y extranjero.

Fue Director titular de la Orquesta Sinfónica Municipal de Valencia, realizando una gran labor al frente de la misma.

Actualmente (1970), es Director titular de la Orquesta Sinfónica de Bilbao e igualmente Director del Conservatorio Vizcaino de Música y Catedrático de "dirección de orquesta y coros" del mencionado Centro.

Como Director de Orquesta invitado ha visitado varias veces América y Europa, cosechando brillantes éxitos.

Igualmente ha sido invitado a dirigir varias veces la Orquesta Nacional de España, la Orquesta de R. T. V. E. y las Orquestas Sinfónicas de Barcelona,

San Sebastián y todas las restantes orquestas de la península.

RAVEL DELUARTE, Maurice. Compositor contemporáneo.

Nació en Ciboure (Lab.), el 7 de marzo de 1875 y murió en París, el 28 de diciembre de 1937.

El padre de Maurice, José Pedro Ravel —ingeniero de ferrocarriles—, era suizo y la madre, María Deluarte, vasca, de San Juan de Luz. Ravel estudió en el Conservatorio de París con De Beriot, Anthiome y G. Fauré. En 1901 consiguió el segundo premio de Roma, con *Myrrha.* Tenía entonces 26 años, siendo ya conocido desde los 21 por sus originales composiciones, muchas veces controvertidas. En 1899 compuso *Minueto antiguo, Pavana para una Infanta difunta,* en 1901, *Juegos acuáticos* y un año antes, *Dos epigramas.* Siendo alumno del Conservatorio escribió una composición de tipo español, *Habanera,* que posteriormente incorporaría, como tercera pieza a la *Rapsodia española,* que data de 1907; la integran *Preludio a la noche, Malagueña, Habanera* y *Feria.* En esta obra, como en las posteriores de este tipo —*La hora española, Canción a Dulcinea, La Alborada del Gracioso,* el *Bolero* y las *Tres Canciones de Don Quijote a Dulcinea*—, se advierte la concepción impresionista, los matices brillantes del sur y la preocupación colorista sin concesiones al tipismo. *Shéherezade* fue compuesta en 1903, siguiendo en orden cronológico entre sus principales obras, *Espejos, Sonatina* y la orquestación de *La Navidad de los juguetes* (1905), *Historias naturales* (1906) y *Rapsodia Española. La hora española,* comedia musical en un acto (1907), recuerda las óperas bufas y es una caricatura de la vieja ópera italiana; el temperamento irónico de Ravel le facilitó componer con todo acierto esta obra, cuya acción tiene lugar en el Toledo del siglo XVIII. En 1908 compuso *Gaspard de la nuit* y *Ma mère l'Oye,* suite de piano, primero, y ballet, luego, estrenado en 1912 en el Teatro de las Artes; *Minueto* en 1909, *Valses nobles y sentimentales* en 1911 y *Dafnis y Cloe* en 1912, sinfonía coreográfica basada en la célebre novela de Longo e interpretada por el inmortal Nijinsky, Karsavina, Molm y la compañía de los Bailes Rusos.

Ravel visitaba casi todos los veranos su tierra laburdina; hablaba con corrección el euskera y gustaba alojarse en San Juan de Luz —su pueblo materno—, donde asistía a los festejos populares gozando de ellos. A sus tertulias del café en Ciboure asistía con frecuencia Ramiro Arrue. Su única obra de tema exclusivamente vasco quedó sin desarollar y se tituló *Zazpirak-Bat;* sin embargo, detalles de folklore vasco pueden apreciarse en varias de sus obras, como señala I. de Fagoaga, sobre todo en su *Trío en "la"* compuesto en San Juan de Luz. También visitó varias veces la península, casi siempre al frente de orquestas o como pianista en Sociedades Filarmónicas. Llevó a cabo permanencias en Madrid, en los años 1924,

1928 —una jira por las Filarmónicas de Oviedo, Zazagoza, etc.— y 1935. Parece ser que en uno de sus viajes a Andalucía concurrió a un "colmado", donde vio a una bailarina gitana interpretar el bolero "cañí", la danza de compás ternario, de majestuoso movimiento; la visión de la "bailaora" y su ritmo impresionó a Ravel, que trazó algunos esbozos melódicos que más tarde empleó en su célebre *Bolero* (1928) que, desde 1930, se halla en los repertorios de todas las orquestas sinfónicas mundiales; es producción, como afirmó su autor, en la que "sólo le guió el deseo del ritmo". Obras posteriores que lo afirmaron en un puesto de indudable primacía mundial fueron: *Preludio, A la manière de Borodine, Concierto para mano izquierda* (1932), *A la manière de Chabrier, Sobre el nombre de Gabriel Fauré, La tumba de Couperin* —en memoria del delicado músico francés del siglo XVIII— *Sonata, Trío, Cíngara, Canciones populares* (españolas, italianas, francesas y judías), *Ronsard á son âme, Cantos judíos, Poemas, El niño y los sortilegios,* etc.

En 1929, año de su mayor fama después de la creación de su *Bolero,* su villa natal e importantes capitales vascas, tales como Pamplona, San Sebastián, Bayona y Biarritz, le rindieron homenajes diversos, colocándose una placa en su casa de Ciboure. Cuatro años después su estrella declinó bruscamente al declararse en su organismo una penosa parálisis progresiva.

Poco antes de quedar imposibilitado y de ser sometido a una operación quirúrgica infructuosa, concibió las *Tres Canciones de Don Quijote a Dulcinea.* Esta creación, carece de folklorismo premeditado. La segunda, *Canción épica,* la integra una especie de zortzico, el ritmo vasco de 5/8 y la tercera, *Canción para beber,* es la característica tonada báquica de abolengo francés, que en esta página raveliana tiene líneas muy semejantes a la jota.

I. E. Z.

REDIN MAINZ, Javier. Organista y director de coros.

Nació en Huarte (Navarra), el 13 de diciembre de 1922.

Inició los estudios musicales en su villa natal y perteneció al Coro Parroquial.

Se trasladó a Pamplona; el año 1935 ingresó en el Seminario Diocesano y cursó piano, órgano y armonía con Miguel Echeveste. Terminada la carrera sacerdotal y la musical, en 1947, en Estella, lo nombraron Coadjutor-Organista; con deseo de mejorar el movimiento artístico estellés, creó una Asociación Cultural de Música e incrementó la actividad del Orfeón local.

En 1950 Redín Mainz trasladó su residencia a Pamplona, al ser designado Capellán-Organista de la iglesia de San Agustín. Al año siguiente fundó la Escolanía Santa María la Real, con objeto de atender el servicio litúrgico de altar y coro en la Catedral y parroquias. Trascendió su valía y fue demandado para intervenir en las interpretaciones de *Atlántida,* de Falla, en Granada, Santander, San Sebastián y Madrid, con la Orquesta Nacional y el Orfeón Donostiarra bajo la dirección de Frühbeck de Burgos, y en Edimburgo con la Sinfónica, de Londres, conducidos por Markevitch. Un solista de la Escolanía interpretó en Roma y Toulouse la difícil parte de Trujumán de *El retablo de maese Pedro,* de Manuel de Falla. Tan meritoria Agrupación hubo de disolverse en 1966. Desde ese año, su director Redín Mainz ocupa el cargo de Prefecto de Música en el Seminario Menor de la capital de Navarra.

REMACHA Y VILLAR, Fernando. Compositor.

Nació en Tudela (Navarra), el 15 de diciembre de 1898. Empezó los estudios musicales en su villa natal y los de violín en Pamplona, con Felipe Aramendía, que continuó en el Conservatorio de Madrid con José del Hierro. Cursó composición con Conrado del Campo.

En 1923 obtuvo una beca de la Real Academia de Bellas Artes de San Fernando y marchó a Italia, donde estudió con Francisco Malipiero, hasta 1927.

De regreso a Madrid formó el "Grupo de Madrid", en unión de Rodolfo Halffter, Salvador Bacarisse, Julián Bautista y Gustavo Pittaluga.

En 1932, con un *Cuarteto con piano,* logró el Premio Nacional de Música.

Nombrado director musical de "Filmófono", compañía productora y distribuidora de películas, conoció y trató a Buñuel, García Lorca, Adolfo Salazar, etc.

Antes de 1939 escribió otro *Cuarteto,* dos poemas sinfónicos —uno lo estrenó bajo su dirección con la Orquesta Lassalle—, varias obras corales y partituras cinematográficas.

De 1939 a 1957, en que fue requerido para dirigir el Conservatorio "Pablo Sarasate", de Pamplona, residió en Tudela. En 1959, como director del nombrado Centro, realizó un viaje a París, Munich, Milán y Viena, con objeto de estudiar el funcionamiento de los Conservatorios.

En 1951 compuso una *Sonatina para piano,* a la que siguen: *Cantantibus Organis,* obra coral editada por la Institución "Príncipe de Viana"; *Cartel de fiestas,* suite orquestal que contiene cuatro tiempos: *Chupinazos, Procesión, Señoritas a los Toros* y *Jotas,* premio del Ayuntamiento de Pamplona; *Vísperas,* oratorio, encargo del nombrado concejo y que sustituye, desde 1951, a las de Mariano García, de interpretación obligada el 6 de julio, víspera de San Fermín, *Concierto para guitarra y orquesta* (año 1955); *Rapsodia de Estella,* para piano y orquesta, Premio Málaga 1960, creado por el Patronato "Eduardo Ocón", de la Orquesta Sinfónica de la citada capital, interpretada en primera audición en Madrid, por Pilar Bayona, con la Orquesta Nacional, bajo la dirección de Frühbeck de Burgos, el 17 de febrero de

1961, y *Jesucristo en la Cruz,* para solos, coro y orquesta, sobre textos anónimos del Cancionero de Barbieri, Premio "Luis de Victoria", correspondiente a la III Semana Religiosa de Cuenca, año 1964, obra ejecutada en dicha ciudad y en la capital española en concierto integrante del II Festival de Música de América y España, el 24 de octubre de 1967 por la Orquesta Sinfónica de la R. T. V. E., Angeles Chamorro, soprano, Ricardo Visus, tenor, y el coro de la RTV, bajo la dirección de Antonio Ros Marbá.

Remacha contribuyó a la realización del "Homenaje pianístico a Juan Crisóstomo de Arriaga", mediante su pieza para piano, *Epitafio.*

Al frente del Conservatorio "Pablo Sarasate", de Pamplona, Fernando Remacha está llevando a efecto una eficaz y renovadora labor didáctica musical.

REQUEJO RETEGUI, Ricardo. Concertista de piano.

Nació en Irún (Guipúzcoa), el 10 de junio de 1938.

Inició los estudios musicales en su ciudad natal con Ascensión Michelena y Primitivo Azpiazu.

En el Conservatorio Municipal de Música de San Sebastián cursó piano con José María Iraola y armonía con Francisco Escudero, obteniendo, en 1955, el premio Fin de Carrera.

Amplió sus conocimientos en los Conservatorios de París y Ginebra, donde tuvo por profesores a

Vlado Perlemuter y Louis Hiltbrand, respectivamente, logrando primeros premios en los años 1958 y 1965.

Ha sido distinguido con los galardones "Margarita Pastor", de Orense, "Georges Filipinetti", de Ginebra, y "Luis Costa", de Oporto.

Se cuenta entre los concurrentes a los cursos internacionales de perfeccionamiento de Dartington, Santiago de Compostela, Cascais y Siena.

Disfrutó de becas concedidas por el Ministerio de Educación Nacional, Fundación "Calouste Gulbenkian", de Lisboa, y "Deutscher Akademischer Austausdienst", de Bad Godesberg.

Desde el año 1957 reside en el extranjero, actualmente en Hannover, y desarrolla recitales en España, Portugal, Francia, Suiza, Italia, Alemania y Austria, con éxitos lisonjeros de público y crítica.

RODRIGO A. DE SANTIAGO MAJO. v. SANTIAGO MAJO, Rodrigo Alfredo de.

RODRIGUEZ EREÑO, Alfredo. Profesor de oboe y corno inglés.

Nació en San Sebastián, el 26 de noviembre de 1934.

En el Conservatorio de su ciudad natal estudió oboe con Antonio Cortés Gracia y cursó armonía y composición con el maestro Francisco Escudero.

En 1954 terminó oboe y fue requerido para integrar la Orquesta Sinfónica del Conservatorio donostiarra como profesor de corno inglés, con la que actuó cuatro años; alcanzó señalados éxitos de público y crítica al interpretar los solos de *Tristán e Isolda,* de Wagner, y *El cisne de Tounela,* de Sibelius.

El 22 de julio de 1959 ganó, mediante oposición, la plaza de oboe y corno inglés de la Orquesta Sinfónica titular del Gran Teatro del Liceo, de Barcelona, a la que perteneció hasta mayo de 1963, en que lo solicitaron de nuevo para engrosar la del Conservatorio de la bella Easo.

En la Orquesta del Liceo recibió numerosas y entusiastas felicitaciones por parte de los maestros directores tanto alemanes como italianos, mereciendo destacarse la de Eikman, por la maravillosa forma como tocó *Tristán e Isolda.*

Con la nombrada Agrupación intervino durante tres años en los Festivales de España, recorriendo varias capitales patrias, colaborando en ópera, ballet y conciertos sinfónicos.

Integró el Quinteto de Viento de Barcelona.

El compositor catalán Altisent le encomendó el estreno de su Concierto para corno inglés y, lo mismo que al interpretar, en distintas ocasiones, los Conciertos para oboe y orquesta de Benedetto Marcello, Cimarosa, Corelli y la Fantasía de Britten, Alfredo Rodríguez Ereño ha alcanzado triunfos rotundos por su excelente formación técnica, solidez, espíritu musical, buena sonoridad y dominio del instrumento.

RODRIGUEZ, Martín. Organista y compositor de música religiosa.

Nació en Pamplona, el 2 de agosto de 1871.

Cursó sus estudios musicales en la Academia Municipal de la capital de Navarra; mediante su tenacidad y esfuerzo triunfó como organista, compositor y profesor de música; lo fue de los colegios de Padres Jesuitas de Carrión de los Condes y Gijón y, entre sus discípulos destacados, se contó el padre Luis Iruarrizaga, C. M. F.

En 1901 logró la plaza de organista de la iglesia de San Severino, de Valmaseda (Vizcaya), en concurso al que concurrieron veintiún aspirantes más.

Son obras importantes de Martín Rodríguez tres *Misas de Gloria,* una de *Requiem,* cinco *Salves, Miserere, Ave María,* etc.

La "Antología Orgánica Práctica", del padre Otaño, presenta diversas composiciones organísticas de Rodríguez, y sus *Ciento doce versos sobre los ocho tonos del canto llano,* para órgano, las imprimió la Casa Boileau.

RUIZ DE ALEGRIA, Dionisio Preciado. Organista, musicólogo y compositor.

Nació en Salvatierra de Alava, el 19 de enero de 1919.

Desde niño tuvo gran afición por la música y abordó la carrera musical que simultaneó con los estudios eclesiásticos, pues sentía vocación por el sacerdocio. En 1935 ingresó en el Noviciado de Capuchinos de la provincia de Navarra-Cantabria-Aragón, donde su nombre de pila y apellidos, Dionisio Preciado Ruiz de Alegría, los sustituyeron por Pío de Salvatierra. Se ordenó sacerdote en 1942.

Ha pulsado los órganos de las iglesias de San Antonio de Pamplona, Nuestra Señora de Lourdes, de San Sebastián, y parroquia de San Antonio, de Santiago de Chile. Ha dirigido diversas Escolanías en España y América de Sur y ostentó la representación oficial de la Pontificia Universidad Católica de Santiago de Chile en el VIII Congreso Internacional de *Pueri Cantores,* celebrado en Roma el año 1962. Pertenece a la Comisión Diocesana de Liturgia, Música y Arte Sacro, de Zaragoza.

El padre Salvatierra posee los siguientes títulos oficiales: Licenciado y Maestro en Musicología por el Pontificio Instituto de Música Sacra de Roma; licenciado en Canto Gregoriano por dicho Instituto, y licenciado en Ciencias Musicales por la Universidad del Estado de Santiago de Chile, en la que cursó composición.

El año 1962 ganó los primero y segundo premios en el Concurso de Villancicos convocado por la Asociación de Belenistas, de Pamplona, y al año siguiente otro segundo premio.

Entre otras obras es autor de *Seis fugas para órgano* (1958); *Missa pro defunctis* (1959); *Cuatro Villancicos chilenos* (1962); *Cinco canciones chilenas, Seis Villancicos alaveses* y *Seis cánticos de comunión* (1963) e *Himno del bautismo,* grabado por la Comisión Diocesana, de Zaragoza.

El padre Salvatierra escribió un *Manual de teoría musical,* editado en 1957, en Santiago de Chile; ha insertado numerosos artículos en la Prensa donostiarra y santiaguina (Chile) y en la Revista Musical "Ritmo", de Madrid, entre los años 1964-1965 publicó artículos sobre música electrónica de gran interés divulgativo; ha dado conferencias acerca de dicha materia y del folklore sudamericano en distintas entidades musicales.

Trabaja en la obra *El quiebro y el redoble en Francisco Correa de Araujo* (su tesis de Magisterio de Musicología), y en la composición de catorce villancicos ecuatorianos.

Uno de sus recientes trabajos, que le ha sido editado en 1969, es *Folklore español: Música, Danza y Ballet,* que ha aparecido firmado con su nombre, Dionisio Preciado.

Este libro consta de cinco partes: en la primera trata de diversos puntos de musicología; en la segunda del folklore universal; la tercera (la más extensa), la dedica al folklore español, al andaluz y vasco, y la cuarta y quinta las destina a la danza, baile y ballet.

Es trabajo "de divulgación musical y folklórica, de carácter pedagógico" que acrecienta la valiosa labor del padre Salvatierra, Dionisio Preciado.

RUIZ JALON, Sabino. Crítico musical y compositor.

Nació en Logroño, en 1902, pero su familia se domicilió en Bilbao siendo Sabino niño de corta edad.

A los seis años empezó a estudiar en la Academia Vizcaina de Música y después en el Conservatorio.

Inició su labor de crítico musical a los dieciocho años en "La noche", diario vespertino bilbaino.

En 1923 se trasladó a Francia donde completó su carrera musical. De regreso en España desarrolló algunos conciertos pero su vocación le hizo dedicarse a la crítica musical y a la composición.

La Diputación Provincial de Guipúzcoa, en 1925, convocó un concurso para premiar composiciones musicales; Ruiz Jalón obtuvo premio con sus *Cuatro Preludios Vascos,* para piano. Por entonces se relacionó con el padre Donostia y con Andrés Isasi, de quienes recibió consejos muy valiosos.

Es autor de diversas obras, entre ellas: *Danza de diablillos,* primera audición en París, en 1925; *El atalayero de Machichaco,* ballet de ambiente vasco, cuyos cuatro fragmentos para orquesta: *Atardecer, Danza de la Atalayera, Danza de las brujas* (zortzico) y *Danza de los romeros,* interpretan desde 1936 frecuentemente las Sinfónicas de Bilbao, Pamplona, Zaragoza...; *El papel de moscas,* ballet, representado en Bilbao y San Sebastián en 1942; *Berceuse,* para orquesta de cámara. *Capricho Ibérico,* para violoncello y piano; *Canciones,* etc.

Ha abordado el teatro lírico con las zarzuelas *La maja discreta, La doncellona* y *Tierra y mar,* en tres actos, ésta en colaboración con el compositor Urrengoechea sobre libro de Roberto Salvanés; durante una estancia de la Masa Coral de Bilbao en Madrid, el año 1944, el día 1 de mayo la estrenó con gran éxito de público y crítica.

Ruiz Jalón, que es documentado y ameno conferenciante (lleva pronunciadas más de doscientas charlas), ha ejercido la crítica musical en "Radio Bilbao" y "Radio Poular", y es crítico titular del diario bilbaino "La Gaceta del Norte".

RUIZ LAORDEN, Urbano. Profesor de la Orquesta Sinfónica de Bilbao y director del Orfeón Baracaldés.

Nació en Sestao (Vizcaya), el 27 de enero de 1933 e inició sus estudios musicales en la Academia Municipal de Sestao, donde fue componente de la Banda de Música.

El 14 de octubre de 1969 fue nombrado director de la Coral de Bilbao.

I. E. Z.

SALVATIERRA, Pío de. v. RUIZ DE ALEGRIA, Dionisio Preciado.

SANMARTIN, José María. Pianista y compositor.

Nació en Vitoria.

Amplió la carrera de piano con Yves Nat y Alfredo Cortot y estudió composición con Honegger, alcanzando Primer Premio en 1955. En Alemania cursó pedagogía.

De regreso, el año 1963, ganó el Premio Nacional de Música con su obra *Suite Arabarra.*

Mediante oposición obtuvo la plaza de pianista en la Orquesta de la R. T. V. E. Con los solistas de ella, Hermes Kriales y Enrique Correa, constituyó el Trío O. R. T. V., que se presentó con gran éxito el 16 de marzo de 1966, en el Club de Conciertos de Festivales de España.

La *Suite Arabarra,* de Sanmartín, la interpretó en primera audición la Orquesta Sinfónica de la R. T. V. E., bajo la dirección de Antonio Ros Marbá, el 28 y 29 de enero de 1967. Forman la composición una serie de danzas antiguas vascas; los temas son originales y están enraizados en los giros melódicos y rítmicos de ellas. Bajo la denominación de *Danzas de Corte y Profanas* se hallan integradas: *Contrapás, Gavota, Contradanza, Minuetto, Pasapié, Burlesca, Pastoril* y *Pasacalle.* La producción alcanzó excelente acogida, ya que posee técnica valiosa y moderna e instrumentación brillante y colorista.

SANTESTEBAN, José Antonio. Organista y Compositor.

Nació en San Sebastián, el 18 de octubre de 1835. Murió en la misma ciudad, en fecha indeterminada.

De su progenitor, José Juan Santesteban, recibió los primeros aleccionamientos musicales, que amplió y completó en el extranjero; residió en París y Bruselas y se contó entre los discípulos de Marmontel, David, Bazín, Godineau y Lemmens.

El año 1863 inauguró el órgano de la Casa Cavaillé-Coll, de París, instalado en la parroquia de Santa María, de San Sebastián, en la que en 1879 sucedería a su padre (a la sazón jubilado), como organista y maestro de capilla. Con anterioridad desempeñó cargos análogos en la basílica de Santiago, de Bilbao. Salió para probar un órgano "Merklin", en la catedral de Bayona; en instrumento de la misma marca dio conciertos en la Exposición Universal de la capital de Francia, los que le valieron elogiosas críticas en la "Revue et Gazette musicale", y alcanzó éxitos de clamor al desarrollar en el Trocadero, en 1878, dos recitales en órgano Cavaillé-Coll.

Domiciliado en San Sebastián, admirador del folklore de su País, empezó a publicar series de *Aires populares vascongados* (cantos y bailes), que alcanzaron la cifra de setenta y seis números, todos armonizados correctamente y arreglados para piano, canto y piano y orfeón. Con algunos trazó unas *Variaciones sinfónicas,* y una Colección, que presentó en la Exposición de Viena, de 1876, le fue premiada.

José Antonio Santesteban compuso doce *Misas* a gran orquesta, dos *Misereres* (uno a cuatro voces), *Salmos, Motetes,* el zortzico *Hernaniri* ("A Hernani") y *24 Préludes pour piano, op. 84,* que ostentan la dedicatoria "A mon ami Thomas Bretón"; son fruto de sus estudios pianísticos en Francia; los elogió Planté y en varios —como en el quinto y decimosegundo del primer libro—, fácil es advertir influencias románticas, más schumanianas que chopinianas.

Serafín Baroja, escritor e ingeniero donostiarra, que escribió poesías de marcado carácter popular vasco, que musicaron, entre otros, Guelbenzu y los Santesteban, entregó a José Antonio el libreto de la ópera *Pudente,* integrado por una sucesión de escenas a las que el músico acopló tonadas vascas, una de ellas, el *Gernikako Arbola.* Consta de dos actos que los llenan quince números musicales realizados con escrupulosidad y maestría. *Pudente,* que se estrenó en San Sebastián y tuvo excelente acogida, es la primera ópera vasca.

SANTESTEBAN, José Juan. Compositor.

Nació en San Sebastián, el 26 de marzo de 1809. Murió en la misma capital, el 12 de enero de 1884.

Juan José Zañola, cura párroco de Escoriaza —que recogió algún tiempo a José Juan, por haber perdido sus padres morada y bienes en la destrucción que infligieron los ingleses a la bella Easo, en 1813—, descubrió sus portentosas facultades para la música y le dio las primeras lecciones; las continuó en Oñate, con el organista Manuel Garagarza; tenía nueve años e intervenía en las solemnidades religiosas luciendo su voz de tiple que le deparó fama, por lo que le llamaron de San Sebastián, el 31 de agosto de 1821, para cantar la parte de soprano en la Misa de Requiem, de Sagasti, composición que disfrutaba entonces de gran celebridad.

Con Mateo Pérez de Albéniz, maestro de capilla de la donostiarra iglesia de Santa María, durante siete años estudió piano, armonía, contrapunto y fuga. Bajo su dirección y consejos escribió sus dos primeras obras: un *Miserere* y una *Misa,* que estrenó en Escoriaza.

Interinamente, desempeñó la plaza de organista en la parroquia de San Vicente, de San Sebastián. Si bien existían dos charangas, Santesteban fundó otra más que la denominó "Los Gámbaros", en homenaje a Juan Bautista Gámbaro, célebre clarinetista francés. Además de dirigirla, tocaba en ella el trombón, lo que le proporcionó conocimientos teóricos y prácticos de los instrumentos de madera y metal. Estudiante incansable, aprendió violn, violoncello, contrabajo y guitarra.

Hacia 1835 compuso cinco *Misas* a gran orquesta y una con acompañamiento de órgano.

Deseoso Santesteban de adquirir técnica de canto, en 1840 se trasladó a Madrid; tomó aleccionamientos de Saldoni y Basili; asistió a las clases de contrapunto y fuga de Carnicer, a la de piano de Pedro Albéniz y concurrió a la Real Capilla, donde escuchó las Misas de Nicolás Ledesma dirigidas por su autor.

Regresó a San Sebastián; por la lectura de la "Gaceta Musical", de París, le tentó la intensa vida musical de la capital de Francia y a ella se desplazó en 1844; estudió canto con Manuel García (hijo del famoso tenor Manuel Vicente García); dirección de orquesta con Habeneck, y frecuentó el Conservatorio, el teatro Italiano y la Gran Opera.

Marchó a Italia; el domingo de Ramos de 1844 se personó por primera vez en la Capilla Sixtina y no faltó a ninguna función religiosa de la Semana Santa y Pascua; escuchó las producciones de Palestrina y el famoso *Miserere* de Allegri, y se relacionó con el abate Baini, maestro de capilla de la Sixtina.

De Roma pasó a Nápoles; trató a Mercadante y a Fiorimio, profesor de contrapunto; en Liorna y Florencia se entrevistó con los músicos más destacados; en Bolonia lo recibió Rossini, a quien dedicó y regaló un zortzico; Milán y Bérgamo también las visitó el músico donostiarra; en la primera capital conoció a Donizetti y Pedrotti, y en la segunda al alemán Simón Mayer o Mayr, profesor del compositor de *La Favorita,* y autor de *Medea.*

Partió de Italia y se dirigió de nuevo a París, donde se entrevistó con Berlioz. Regresó a San Sebastián y el 31 de agosto de 1844 tomó posesión del cargo de maestro de capilla de la basílica de Santa María; desarrolló intensa actividad musical como ejecutante, compositor, profesor y director; fundó el primer establecimiento de venta de instrumentos y partituras musicales; introdujo la enseñanza de Solfeo en las escuelas; creó dos bandas y el Orfeón Easonense; compuso innumerables obras religiosas y profanas; redactó un *Método teórico práctico de canto llano;* escribió la partitura de *La tapada,* zarzuela en un acto, que estrenó, y el Himno *Oriamendi,* que compuso durante la primera guerra carlista para conmemorar por anticipado la casi segura victoria de las tropas gubernamentales e inglesas de Espartero, Lacy, Evans y Sarsfield sobre las carlistas concentradas en Hernani. Pero aquellas tropas, en vez de triunfar, fueron arrolladas por las tradicionalistas que mandaba el infante don Sebastián Gabriel, en la célebre batalla del Alto de Oriamendi, acaecida el 15 de marzo de 1837; hallaron la página de Santesteban que, al agradarles la hicieron suya, asignándole el nombre de *Oriamendi,* en memoria de la famosa batalla. Algún escritor atribuyó el *Oriamendi* al infante don Sebastián, pero existe el original firmado por Santesteban.

Con motivo de una estancia de la reina Isabel en San Sebastián, nuestro músico reunió nueve agrupaciones que sumaron un total de trescientos ejecutantes, las que dirigió, imprimiendo magníficas versiones al *Gernikako Arbola, Iru Damatxo* y un pasodoble de su composición.

SANTIAGO MAJO, Rodrigo Alfredo de. Director y compositor.

Nació en Baracaldo (Vizcaya), el 23 de setiembre de 1907.

Realizó sus estudios musicales en el Conservatorio Vizcaino de Música de Bilbao, cursando armonía, contrapunto y fuga con Jesús Guridi y José Sainz Basabe.

Pertenece, desde su fundación, al Cuerpo Nacional de Directores de Bandas de Música Civiles. Ha dirigido las de Munguía, Valencia de don Juan y La Coruña, fundada en 1947, y cuya dirección ganó tras reñidas oposiciones.

En la capital gallega permaneció hasta ser nombrado director de la Banda Municipal de Madrid, al frente de la cual debutó el 23 de junio de 1967.

En La Coruña ha realizado importante labor artística, pues además de ser director de la Banda, Orquesta Municipal y Orfeón "El Eco", profesor de armonía y composición del Conservatorio de Música y Declamación, ha escrito numerosas obras musicales, algunas de gran envergadura, y amplios y concienzudos trabajos musicológicos: *Pentatonismo en la música gallega, Un concurso musical* y una *Sonata gallega del compositor Antonio José, Marcial de Adalid. Síntesis biográfica, Andrés Gaos violinista y compositor coruñés* (discurso que leyó al ingresar como miembro numerario en el Instituto "José Cornide" de Estudios Coruñeses), *De la transcripción* (Estética e Iniciación a la Transcripción para Banda), etc.

Entre sus producciones sinfónicas se cuentan: *Sonata,* para violín y piano (Premio Nacional de Música del año 1939); *Concierto Vasco,* para piano y orquesta (primera audición en el Palacio de la Música, de Madrid, por la Orquesta Nacional dirigida por el autor y Aurelio Castrillo, al piano, el 14 de noviembre de 1947); *Bocetos gallegos,* Suite sinfónica en tres tiempos (estrenada en La Coruña, el 17 de setiembre de 1949, en concierto-homenaje dedicado a Rodrigo A. de Santiago por el Ayuntamiento coruñés); *Cuarteto Vasco,* para instrumentos de arco (galardonado en Concurso convocado en Zaragoza). *Elegía,* para orquesta (en memoria del padre Donostia, dada a conocer, bajo la dirección del compositor, en La Coruña, el 23 de diciembre de 1956); *Requiem,* para solistas, coro y orquesta (en memoria de Ataulfo Argenta, interpretado por primera vez en la nombrada capital, conducido por el autor, el 23 de abril de 1958) y *Concierto del Concilio,* para violoncello y orquesta (primer premio de composición libre en los primeros Juegos Florales Hispanoamericanos).

Además de los premios que Rodrigo A. de Santiago obtuvo por algunas creaciones que quedan citadas, ha logrado los siguientes: "Manuel Prieto Marcos", del Centro Gallego de Buenos Aires, a la mejor melodía, original, para canto y piano (1953); de la "Canción Gallega", de Pontevedra, para voces a "capella", por las obras *Tres Cabanillescas* (1960), *Tríptico de Nadal* y *Tres breves cantigas de amor* (1962); "José Espí Ulrich", del Ayuntamiento de

Alcoy, composición sinfónica, por las producciones "Homenaje a Jesús Guridi", *Suite sinfónica vasca* (1963), y *La mort d'Alazraq,* Poema sinfónico (1965); Ayuntamiento de Cartagena, concurso "El mejor pasadoble español" (1964 y 1965); Ayuntamiento de Vitoria, premios "Jesús Guridi", por *Tres movimientos de música vasca* y *Tríptico vasco* (1964); Caja de Ahorros Vizcaina, "Música para txistu", por "Txistu-zar" (1965), y "José Alberdi Moncada", del Ateneo de Mahón, por *Tríptico de Homenajes,* Suite sinfónica (1965).

Contribuyó al "Homenaje pianístico a la memoria de Juan Crisóstomo de Arriaga" con *Arriagaresca-Scherzino,* para piano, página entroncada premeditadamente en una variante de la forma Scherzo, en la que el autor hace que jueguen varios fragmentos de temas de la *Sinfonía en "Re"*, del genial bilbaino, utilizados con técnica armónica, precisa y equilibrada, y dispuestos con donaire y gracia.

Rodrigo A. de Santiago es autor de tres obras lírico-dramáticas: *La noche de San Juan,* libro de Luis Iglesias de Souza, estrenada en La Coruña, el 6 de setiembre de 1952, *La canción de Zoraida,* leyenda lírica en un prólogo y tres actos, letra del escritor nombrado y dada a conocer en la población citada, el 30 de setiembre de 1958 por el Cuadro Artístico de la Coral "El Eco", y *A morte do gautero,* poema lírico, texto de Ramón Cabanillas, primera audición en la plaza de toros de La Coruña, el 9 de agosto de 1964, por las agrupaciones corales

"Aturuxu", "Cantigas e Agarimos", Banda Municipal y conjuntos de gaitas, bajo la dirección del autor.

Es académico numerario de la Real de Bellas Artes de Nuestra Señora del Rosario, de La Coruña, y miembro correspondiente de la Real Academia Gallega. Al informarse el Ayuntamiento coruñés del nombramiento de su director de la Banda para dirigir la de Madrid, acordó por unanimidad rotular una calle con el nombre de "Rodrigo A. de Santiago".

Actualmente con la Banda Municipal madrileña, Rodrigo A. de Santiago triunfa ininterrumpidamente por lo acertado de los programas que elige y por su experta dirección con la que alcanza interpretaciones brillantes y de la mejor calidad.

SARASATE NAVASCUES, Pablo. Violinista y compositor.

Nació en Pamplona, el 10 de marzo de 1844. Murió en Biarritz, el 20 de setiembre de 1908.

Su padre, Miguel Sarasate, era músico mayor; al nacer Pablo dirigía la banda de música del Regimiento de España, número 20, que se hallaba de guarnición en la capital de Navarra. Tuvo traslados a Valladolid, Santiago y La Coruña y en esta capital el niño mostró una precocidad asombrosa en el violín (lo tocaba su progenitor) y después de recibir algunos aleccionamientos de Blas Alvarez, concertino de la orquesta del teatro, dio un concierto organizado por militares amigos de don Miguel; en él lo escucharon la condesa de Espoz y Mina y los duques de Montpensier, quienes, al mostrarlo a su séquito dijeron: "Es microscópico este niño, pero andando el tiempo, más pequeño será el mundo para él". No se equivocaron en la profecía, pues a continuación de estudiar en Madrid y en París, con el profesor Alard, a los trece y catorce años, respectivamente, recibió los primeros premios de violín y armonía del Conservatorio parisiense. Sarasate, como Mozart, y como nuestros Arriaga y Albéniz, nació enseñado; durante toda su vida venció los más difíciles pasajes con facilidad, estudiaba poco y no se preocupaba de lo que tenía que tocar hasta momentos antes de empezar el recital.

El mundo entero era escenario de sus triunfos pero, amante de su tierra natal, deseaba contratos para todos los años personarse en Pamplona durante las fiestas de San Fermín y tomar parte en las magnas sesiones musicales que organizaba y sufragaba de su peculio. Otra muestra de amor a la capital de Navarra fue la creación del Museo Sarasate, a partir de 1897, al que enviaba alhajas de gran valor, autógrafos, retratos, etc., y que hoy es lugar de visita obligada por cuantos pasan, aunque sea breves horas, en la población navarra.

A requerimiento suyo, Saint-Saëns, Eduardo Lalo y Max Bruch compusieron importantes obras para violín y orquesta; el primeros, dos *Conciertos* y el *Rondó caprichoso;* el segundo, la *Sinfonía española,* y el tercero, un *Cocierto* que Sarasate hizo triunfar con sus interpretaciones colmadas de emoción, claridad, belleza de sonido...

Sarasate, a partir de 1900, hizo gran amistad con Ricardo Villa al que encomendó varios años la dirección de las audiciones de San Fermín. Este, escribió para él la *Rapsodia asturiana,* que Sarasate estrenó y programó diversas veces.

De Sarasate es obligado resaltar su cariño por el folklore, lo que le movió a componer una serie de piezas violinísticas basadas en cantos populares que paseó por todo el orbe, admirando a los oyentes que, a la par, advertían la belleza de nuestra música; debido a lo magníficamente que están adaptadas tales páginas para el violín hoy, después de más de sesenta años del fallecimiento del sin par violinista, las ejecutan los más grandes concertistas mundiales. De esa producción, que asciende a más de cincuenta creaciones, deben citarse, por ser las más célebres: *Zigeunerweisen* (Aires bohemios, op. 20); *Habanera* (op. 21); *Romanza andaluza, Jota navarra* (op. 22); *Playera, Zapateado* (op. 23); *Capricho vasco* (op. 24); *Jota aragonesa* (op. 27); *El canto del ruiseñor* (op. 29); *Navarra,* Dúo para dos violines con acompañamiento de piano (op. 35); *Jota de San Fermín* (op. 36); *Zortzico, ¡Adiós montañas mías!* (op. 37); *Miramar,* Zortzico (op. 42) y *Jota de Pablo* (op. 52).

BIBLIOGRAFIA:

A. Delgado Castilla, "El violín", Apuntes histórico-físicos de este instrumento y Biografías de violinistas célebres. "Pablo Sarasate", de la página 121 a la 125. B. Rodríguez Sierra, editor. Madrid (sin fecha de edición, pero antes de 1908, en vida de Sarasate).

Varios autores, "Sarasate", Revista ilustrada. Homenaje del Orfeón Pamplonés. Pamplona, julio de 1908.

Julio Altadill, "Memorias de Sarasate". Imprenta de Aramendía y Onsalo, Pamplona, 1909.

Padre Luis Villalba Muñoz, O. S. A., "Ultimos músicos españoles del siglo XIX". "Sarasate", de la página 79 a la 94. Ildefonso Alier, Madrid, 1914.

A. Miró Bachs, "Cien músicos célebres españoles" "Sarasate", de la página 128 a la 131. Pentagrama, Barcelona, 1942.

Varios autores, "Gayarre y Sarasate", Pamplona, 1944.

León Zárate, "Sarasate", Ediciones Ave, Barcelona, 1945.

Angel Sagardía, "Pablo Sarasate", Editorial Sánchez Rodrigo. Plasencia (Cáceres), 1956.

Angel Sagardía, "Pablo Sarasate y su posición en la música", "Ediciones de Conferencias y Ensayos", Madrid, 1961.

SAROBE, Celestino. v. AGUIRRESAROBE ZATARAIN, Celestino.

SARRIEGUI, Raimundo. Compositor.

Nació en San Sebastián hacia 1840. Murió en la misma capital el 23 de abril de 1913.

Discípulo de Santesteban, fue niño de coro en la iglesia de Santa María y más adelante tenor en la de San Vicente. Si bien integró varios Ayuntamientos donostiarras —trabajó intensamente por el mejoramiento de la bella Easo— y se dedicó a corredor de comercio, su vocación era la música y a ella destinó buena parte de su actividad.

Fundó charangas y orfeones con cuyas agrupaciones amenizaba, entre otras fiestas, los Carnavales; era "alma lírica" de ellos, escribieron.

Sarriegui, llamado "sentimental bardo de canciones vascas", escribió las tituladas *Juana Vixenta Olave* y *Oh, Euskalerri maitea; El ataque de errikosemes* (lírica pieza de bullicioso color local) y *Pasayan* (zarzuela que estrenó el año 1886).

En 1861 compuso la *Marcha de San Sebastián,* declarada oficial por el Ayuntamiento de la capital de Guipúzcoa tres años después.

Sarriegui, el músico popular por excelencia de San Sebastián, y cuyas obras evocan multitud de recuerdos a varias generaciones de donostiarras, cuenta en su ciudad natal con un monumento que perpetúa su memoria.

SCHOLA CANTORUM DE HERNANI

Fue fundada en Hernani, en el año 1952, por D. Gabriel Olaizola Gabarain, agrupando en sus comienzos a 85 voces escogidas. Cuenta en la actualidad con 35 voces mixtas entre blancas y graves que interpretan diversas obras vascas y religiosas, tales como *Sorgiñetan, Illeta* (con orquesta), *Aleluya* de Haendel (con la Banda de Hernani), etc. Ha ofrecido recitales en San Sebastián, Bilbao, Pamplona, Zarauz, etcétera, bajo la dirección de su fundador, Gabriel Olaizola, secundado por Juan José Iruretagoyena como subdirector.

I. E. Z.

SERRANO Y RUIZ, Emilio. Compositor.

Nació en Vitoria, el 13 de marzo de 1850. Murió en Madrid, el 10 de abril de 1939.

El padre del futuro compositor era militar, por lo que Emilio, de niño, tuvo gran afición por las armas, pero aún más por escuchar los pasodobles y marchas que interpretaban las bandas de música militares en las formaciones y desfiles. Al progenitor lo trasladaron a Madrid, y allí se instaló con su familia.

A los ocho años empezó a cursar estudios musicales en el Conservatorio; fue discípulo predilecto de Aranguren, Zabalza, Eslava y Arrieta, y alcanzó primeros premios en piano y armonía.

Obtuvo el primero de composición en el concurso del año 1870, y apreciando el hecho el libretista Mariano Capdepón (entonces capitán de Estado Mayor), le ofreció un libreto de ópera para que lo musicase.

Serrano aceptó complacido y no puso el menor reparo, al ver que se titulaba *Mitridates,* a pesar de saber que Mozart había glorificado en una ópera las hazañas del famoso rey de Ponto, y que sobre tal asunto existían más de quince obras líricas extranjeras.

Serrano, al empezar su actividad de compositor, escribió zarzuelas, y una titulada *El juicio de Friné,* le proporcionó éxito. Mas su verdadera carrera de autor de óperas y de obras de cámaras y sinfónicas la inició con *Mitridates.* Más de diez años tuvieron que esperar Serrano y Capdepón para lograr el estreno en el Real, lo que tuvo lugar el 14 de enero de 1882. La cantó la famosa tiple Josefina de Reszké y junto a ella trabajaron unos intérpretes que, según aseveró el músico, "estaban *a salario,* eran artistas que cantaban donde podían"; el tenor, apellidado Celestini, se fue al foso cuando pretendió dar el "Si" bemol que hay al final de una pieza a solo, y soltó un gallo enorme. Tuvo un éxito congratulatorio —agrega Serrano—, sin llegar a clamoroso". Asistió a la primera audición, que dirigió Goula, la infanta Isabel, a quien el futuro autor de *La maja de rumbo* la dedicó. Recibió cinco representaciones.

Le otorgaron una pensión para ampliar estudios en Roma y, durante ella, compuso una segunda ópera, *Doña Juana la Loca;* el libro está basado en la obra de Tamayo y Baus "Locura de amor" y lo redactó en italiano el excantante Ernesto Palermi. Serrano estaba entonces impresionado por las óperas de Wagner *Tannhäuser* y *Lohengrin* "y a ellas acudí —son palabras suyas—, buscando la originalidad externa, ya que no el espíritu ideológico, pues siempre me han seducido los giros propios de la música hispánica". Unas escenas de *Doña Juana,* que acaecen en la plaza Mayor de Burgos, tienen números basados en canciones populares "bailable castellano", "bailable asturiano", "bailable vasco"... Tuvo su primera representación, seguida de cuatro más, en el Real, el 2 de marzo de 1890. La partitura, para canto y piano, se halla editada en Milán. Ostenta esta dedicatoria: "All'Augusta Memoria del Re di Spagna Alfonso XII".

Un año después sometió a público y crítica, en el mismo escenario, otra ópera, la tercera, *Irene de Otranto,* el 17 de febrero de 1891. Su argumento tiene la raíz inspiradora en el drama de José Echegaray *La peste de Otranto.*

Cuando se propuso escribir el libro para su cuarta ópera, leyó las *Vidas de españoles ilustres,* de Manuel José Quintana, eligiendo la de Gonzalo de Córdoba, *El Gran Capitán.* Según afirmó: "Quintana me proporcionó temas para el asunto y el Romancero motivos de inspiración lírica". *Gonzalo de Córdoba* se escuchó en el coliseo de la plaza de Oriente, por primera vez, el 6 de diciembre de 1898. Serrano triunfó, se cantó ocho veces consecutivas y la misma compañía, bajo la dirección del autor, la presentó en Bilbao con acogida excelente.

El año 1910, el maestro vitoriano, en unión de los maestros Goula, Pedrell y Bretón efectuó un viaje a Buenos Aires, con objeto de desarrollar una interesante campaña de música dramática y de concierto. Durante ella, estrenó su comedia musical *La maja de rumbo,* asunto de Carlos Fernández Shaw, el 24 de setiembre del año nombrado.

Serrano ha compuesto, entre otras, las siguientes páginas de concierto: *Sinfonía en "Mi" bemol; Concierto en "Sol",* para piano y orquesta; el estudio popular instrumental *Una copla de jota;* los poemas sinfónicos *La primera salida de don Quijote, Los molinos de viento* y *Elegía a la memoria del marino Fernando Villamil* (primera audición por la Orquesta Filarmónica, de Madrid, el 10 de diciembre de 1915); *Canciones de hogar,* para canto y orquesta, con textos de Ardavín, y un *Cuarteto en "Re"*, para instrumentos de arco, que ejecutó el Cuarteto Francés, en 1909. En colaboración con Francisco Alonso es autor de la zarzuela *La Bejarana.*

Emilio Serrano desempeñó la cátedra de composición del Conservatorio madrileño (sucedió a Arrieta) y han sido discípulos suyos los destacados maestros Ricardo Villa, Emilio Vega, Conrado del Campo, Julio Gómez, García de la Parra, María Rodrigo, Francisco Alonso, Cayo Vela, Francisco Calés, etc.

El 3 de noviembre de 1901 ingresó en la Real Academia de Bellas Artes de San Fernando; versó su discurso sobre "Estado actual de la música en el teatro". Era comendador de la Real Orden de Isabel la Católica, Caballero de la Orden de Carlos III, Oficial de la Academia de Francia y Comendador de la Corona de Italia.

BIBLIOGRAFIA:

Rogelio del Villar, "Músicos españoles", II. Compositores. Directores. Concertistas. Críticos. "Emilio Serrano", de la página 347 a la 358. Casa editorial Hernando, S. A. Madrid (sin fecha de edición).

Guillermo Fernández Shaw, "Famosos compositores españoles" "Emilio Serrano", de la página 17 a la 23. Ediciones G. O. Barcelona (sin fecha de edición).

SILKA, Leo de. Nombre artístico de Leonardo Moyúa, Marqués de Rocaverde.

SISTIAGA ALTUNA, Félix. Profesor de música, director y compositor.

Nació en San Sebastián, el 14 de diciembre de 1896.

A los ocho años empezó los estudios musicales en la Academia Municipal de Música de su ciudad natal, que a la sazón dirigía Bernardo Gabiola; le aleccionaron en solfeo los profesores Manuel Lechuga, Bonifacio Escobosa, Valentín Castellano y Secundino Esnaola, y le enseñó flautín Ignacio Gurruchaga, instrumento que dominó en tres años, al final de los cuales inició oboe con el nombrado Gurruchaga.

Ingresó como tiple en la Escolanía de la parroquia de San Vicente.

Cursó piano y armonía con Germán Cendoya, Regino Ariz y Claudio Jáuregui.

A los trece años tocaba en sextetos de cafés y era oboe solista en orquestas de teatros; a los diecisiete ocupó una plaza en la Banda Municipal.

En 1919 permaneció varios meses en Madrid para revalidar la carrera; completó piano y armonía con José González de la Oliva y Conrado del Campo, respectivamente, y se examinó en el Conservatorio de tres cursos de solfeo, ocho de piano y cuatro de armonía, aprobando todos ellos con las máximas calificaciones.

De regreso a San Sebastián, pasados algunos años, dejó de pertenecer a las orquestas —era siempre solicitado por los más destacados maestros concertadores (Ramón Usandizaga, Miguel Puri, Navarro, Espeitia...)— para dedicarse a la enseñanza, composición y a la plaza de la Banda Municipal, en la que en 1923 le encomendaron la subdirección y cuidado del archivo.

En 1935 llevó a cabo otra estancia en Madrid; preparó con Conrado del Campo la composición y con Emilio Vega instrumentación y transcripción para banda.

Domiciliado definitivamente en San Sebastián empezó a componer obras, principalmente para banda:

Primicias, obertura; *Jota de concierto; Preludio fantasía,* etc.

En 1937 sucedió a Buenaventura Zapirain en los cargos de profesor y organista del Colegio Católico de Santa María (Marianistas) que desempeñó durante veintitrés años. Con destino a las fiestas religiosas y profanas de la Entidad escribió numerosas páginas sacras: *La huida a Egipto, Nazareth, Madre de Dios, La Visitación,* etc., y producciones teatrales de carácter infantil: *Estampas zoológicas, El cortijo de los rosales, Los enanitos del bosque, Cuento del abuelito,* etc.

Desempeñó una cátedra de solfeo en el Conservatorio Municipal de Música hasta el 30 de junio de 1967, en que se jubiló. En ese año le fue concedido el ingreso en la Orden de Alfonso X el Sabio, con la categoría de Encomienda, y el Ayuntamiento donostiarra le otorgó la Medalla de Plata de la Ciudad; con motivo de estas distinciones, a quien llevaba cincuenta años dedicado a la enseñanza, la Banda Municipal organizó un concierto con obras suyas y bajo su dirección, y la Orquesta de Cámara de Guipúzcoa, en mayo de 1968, le deparó el estreno de *Tres Bailes Antiguos* (Gavota, Minueto y Giga), de sabor popular vasco.

SOBEJANO Y AYALA, José. Organista y compositor navarro.

Nació en Cintruénigo, el 16 de diciembre de 1791 y murió en Madrid, el 14 de setiembre de

1857. Dotado de singular precocidad, opositó a los doce años al puesto de organista de la iglesia de Santa Cruz de Campon, logrando derrotar a sus nueve competidores. A los catorce era ya organista de la catedral de Pamplona y algo más tarde dirigió la banda de música de uno de los regimientos de Espoz y Mina, al que se había enrolado, hasta su retorno a Pamplona, al finalizar la guerra. En 1815, después de brillantes oposiciones, obtuvo la plaza de organista de la basílica bilbaina de Santiago y, en 1820, pasó a ocupar análogo cargo en la catedral de León. Perseguido por sus ideas liberales se residenció en Madrid; pese a ellas, Fernando VII le nombró primer organista de la Real Capilla de San Isidro, y en 1827 el Real Seminario de Nobles le otorgó la plaza de primer maestro de piano. Ambos cargos le permitieron demostrar sus profundos conocimientos como profesor y compositor. Son sus obras principales un *Método de Solfeo* y otro de *Piano;* un *Oficio de difuntos,* una *Misa de Requiem* y la producción orquestal *Las siete palabras.*

SOCIEDAD CORAL DE BILBAO

Por el año 1880 el violinista bilbaino Cleto Alaña formó un pequeño Orfeón que intervenía en misas y serenatas. En 1886 anunciaron en Durango la celebración de un concurso de orfeones y Alaña se aferró a la idea de que debía concurrir su Orfeón, ahora bien, ampliado y con director solvente y de autoridad, por lo que llamó a Cleto Zavala, que acababa de perfeccionar estudios en Italia. Le interesó engrosasen el conjunto los cantores de las capillas parroquiales y los que amenizaban las veladas de las Sociedades "El Sitio" y "Euskalerria" y a todos se les imbuyó el deseo de asistir a la competición; así quedó fundado el "Orfeón Bilbaino", el 22 de junio de 1886.

Zavala inició los ensayos preparando con minuciosidad *El regreso de los guerreros,* de Gounod, el *Aria di Chiesa,* de Stradella, *Bebamos, bebamos,* de Rossini, y *Astarloa,* zortzico de Zavala, que entusiasmaba a los intérpretes por los enérgicos y varoniles compases que llevan las palabras *Euskeldun jaio giñan.*

Un mes después de la creación del "Orfeón Bilbaino", el día 25 de julio del nombrado año 1886, tuvo lugar el concurso, obteniendo el primer premio e igual galardón un mes más tarde en el Internacional de San Sebastián; a éste se presentó ya con el título de "Sociedad Coral de Bilbao".

Consiguió nuevos triunfos en Madrid y Barcelona; sufrió un percance de carácter económico en París, lo que hizo dimitir a Cleto Zavala; le sucedió Aureliano del Valle, en 1889, que le proporcionó diversos premios en varios certámenes.

Para poder interpretar las grandes obras sinfónico-corales se convirtió en coro mixto y fue la primera agrupación que ejecutó el *Requiem* de Brahms, *La condenación de Fausto,* de Berlioz, etc.

Jesús Guridi reemplazó a Aureliano del Valle; le amplió el repertorio, sobre todo con composiciones folklóricas, y para él compuso gran parte de su importante producción coral, basada en los cantos populares vascos. Al trasladar su residencia a Madrid se encargó de la dirección Jesús Arámbarri, teniendo por subdirector a José María Olaizola; bajo la dirección de Arámbarri intervino en el concierto de la Orquesta Nacional, en Madrid, el 19 de abril de 1947, en la interpretación del *Requiem,* de Mozart. Al día siguiente, dirigido por José María Olaizola, alcanzó gran éxito al desarrollar una audición vocal en el Monumental Cinema; con ella rindió homenaje a su director honorario, el maestro Jesús Guridi, por su ingreso en la Real Academia de Bellas Artes de San Fernando; la tercera parte la dedicó exclusivamente a la interpretación de obras del compositor homenajeado y, mostrando su interés por divulgar páginas de maestros vascos, ejecutó producciones de Goicoechea, Escudero y Otaño.

Otras actuaciones madrileñas de la Masa Coral que biografiamos fueron el 16 de diciembre de 1949 y el 4 y 6 de noviembre de 1960. En ellas colaboró con la Nacional; en la de 1949, regida por Argenta, interpretó la *Novena Sinfonía,* de Beethoven, y en las de 1960, conducidos por Frühbeck de Burgos, cantó *Carmina Burana,* de Carl Orff. En programa constó: "Maestro de coros, Carmelo Llorente".

Cesó Olaizola y le sucedieron Modesto Arana —galardonado con la Medalla de Bellas Artes por su ejemplar dedicación a la Coral— y Rafael Frühbeck de Burgos, durante dos años; al desplazarse a Madrid en 1962 para desempeñar la dirección de la Orquesta Nacional, nombraron director de la Coral a Juan Cordero Castaños, quien prestó especial atención a la renovación de los programas de los tradicionales conciertos sacros, y ha dirigido, en primera audición, *Christus* y *Sinfonía "Dante"*, de Listz, *Ismael en Egipto,* de Haendel, y las reposiciones de los *Requiem* de Mozart, Verdi y Brahms.

El maestro Cordero Castaños mantiene a la Sociedad Coral de Bilbao en elevado nivel artístico.

Habiendo quedado vacante la plaza de director, sucedió a Cordero Castaños, el maestro Orue, y a la ausencia de éste, ocupa su cargo en octubre de 1969 el joven maestro Urbano, profesor de la Orquesta Sinfónica de Bilbao.

SOCIEDAD FILARMONICA DE BILBAO

A la Filarmónica actual la precedieron dos Sociedades de cuyas existencias se sabe lo que sigue: en 1871 el precoz compositor Juan Crisóstomo de Arriaga, que contaba once años de edad, compuso el octeto *Nada y mucho* que dedicó al culto aficionado José Luis Torres; éste, en la parte de violín primero escribió una letrilla, quizá con el deseo de convertirla en una especie de aria acompañada con lo que, como se ha escrito, "nada gana la obra... Pero tiene la importancia de revelar la existencia de la primera Sociedad Filarmónica", pues dice:

"¡Filarmónica Sociedad
si disteis con los conciertos
a este joven felicidad,
vuestros efectos son ciertos!".

Al año siguiente, Arriaga concibió otra producción: *Obertura número uno,* dedicada a la Academia Filarmónica de Bilbao, que proporciona el indicio del funcionamiento de aquella primera Sociedad, ya que en la portada escribió la ingenua décima que copiamos:

"De Orfeo la Sociedad
armonía me inspiró
y melodía sembró
dulzuras en tierna edad,
hoy brota su amenidad.

Y aunque lleno de rubor,
grato ofrece mi candor
a la gran Filarmonía
una nueva Sinfonía,
obra aún de mi temor".

La segunda Sociedad se albergó en los salones de la famosa *Pastelería;* sus concurrentes igual organizaban una misa cantada, un baile galante, que una corrida de toros. Entre ellos surgió la idea de fundar una Sociedad con local propio para lo que eligieron una junta que presidió el organista y compositor Nicolás Ledesma y de la que fue secretario Manuel María de Gortázar, padre de don Ignacio de Gortázar, Conde de Superunda, actual presidente.

Encontraron domicilio, se inscribieron ciento treinta socios y se formó una orquesta de unos cuarenta músicos que dirigida por el violinista y compositor Manuel Barrera, actuó en el primer concierto; se escuchó un *Himno de inauguración,* compuesto por el nombrado Barrera, y ésta tuvo lugar el 22 de febrero de 1852. Esta segunda Entidad existió cuatro años; en buena parte se debió su desaparición a que en las sesiones únicamente intervenían profesores locales (no había muchos, Bilbao contaba entonces con diecisiete mil habitantes), y se agudizó la penuria al contraer matrimonio el violinista Enrique Aldana —figura musical superior a todas— con la pianista bilbaina Fátima Olabarría y marchar la pareja a La Habana, en busca de horizontes artísticos más amplios.

La buena música tuvo que cobijarse de nuevo en los "Salones", en los del Instituto Vizcaino, en los de la Sociedad Bilbaina e incluso en el popular "Kurding Club", donde emplearon una sala desocupada que denominaron "El Cuartito"; en él actuó Guridi como niño prodigio, tocando el piano y dando a conocer sus primeras composiciones. Era base de las sesiones de aquella época el Cuarteto de cuerda que integraban Lope y Cleto Alaña, violines, Federico Olivares, viola, y Eusebio García, violoncello. Para la interpretación de Tríos, Cuartetos con piano y Quintetos, prestaba su colaboración el pianista Unceta.

En 1893 la Sociedad Bilbaina deparó la ocasión de escuchar a algunos concertistas notables de fuera de la capital de Vizcaya, entre ellos Pablo Casals, que contando quince años, llamó la atención por sus excepcionales facultades y talento musical.

De los conciertos de la Bilbaina nació la actual Filarmónica, el 29 de febrero de 1896. En su primera Junta figuraron, entre otros, Emiliano de Arriaga, Lope Alaña, Juan Carlos de Gortázar, Javier Arisqueta...

Empezaron las sesiones, una de las primeras a cargo del Cuarteto formado por Crickboom, Rocabruna, Gálvez y Casals, al que siguieron Francisco Planté, Enrique Granados, Raoul Pugno, Harold Baüer, Jackes Thibaud, Leo de Silka... Se constituyó la "Orquesta de la Sociedad de Conciertos de Bilbao"; la Sociedad Filarmónica no sólo se dedicó a organizar veladas musicales, sino que ayudó a la formación de la Academia Vizcaina de Música en la que cursaron sus estudios los que han sido famosos compositores, concertistas, directores y los excelentes profesores que hicieron viable la creación de las agrupaciones instrumentales que ha tenido y tiene Bilbao.

Desde 1904 la Entidad que nos ocupa cuenta con edificio propio. En 1946 cumplió la Sociedad sus bodas de oro y continúa su admirable actividad camino de sus setenta y cinco años de existencia.

SOROZABAL MARIALCURRENA, Pablo. Compositor y director de orquesta.

Nació en San Sebastián, el 18 de setiembre de 1897.

Sintió verdadera pasión por la música desde muy niño y empezó a estudiar solfeo en la Academia de Bellas Artes donostiarra; recibió lecciones de violín y piano de Alfredo Larrocha y de Germán Cendoya, respectivamente.

Pronto tocó el violín en agrupaciones instrumentales de teatros, cines y cafés —en el Novedades lo hizo con sus paisanos Juan Tellería (piano) y Santos Gandía (violoncello)— y en 1914 ocupó una plaza en la orquesta fija del Gran Casino, que dirigía el nombrado Larrocha. En verano era reforzada con solistas de Madrid y esto le permitía al joven Pablo conocer otros movimientos musicales, al propio tiempo que apreciaba la labor directorial de Enrique Fernández Arbós, que en la estación estival se ponía al frente de la orquesta de referencia.

Compuso un *Cuarteto* que escuchó Beltrán Pagola; le agradó a éste y lo matriculó en su clase de armonía y composición.

Se trasladó a Madrid y fue violín de la Orquesta Filarmónica y del trío del café Comercial. Logró una beca y marchó a Leipzig, donde perfeccionó el contrapunto con Stephan Krell, director del Conservatorio, y el violín y la dirección de orquesta con el profesor Hans Sitt. No pudiendo subsistir con el importe de la beca, Sorozábal volvió a tocar el violín en teatros, cines y cafés. Los veranos los pasaba en San Sebastián y dirigía ensayos y algunos conciertos al Orfeón Donostiarra; uno que aún se recuerda consistió en la interpretación de la *Novena Sinfonía* de Beethoven, con cuarteto vocal formado por solistas de la masa coral. Por entonces compuso los coros: *Baserritarrak, Ku, ku, Nere maite pollita, Arrosa lilia* y *Gabiltzan Kalez kalez,* de gran éxito. Hacía alguna escapatoria a Madrid y en una permanencia conoció a Emilio González del Castillo y Manuel Martí Alonso, autores de libretos de zarzuela, que trabajaban a la sazón en el de *Katiuska* y prometieron a Pablo mandarle escenas a Alemania, lo que hicieron y el músico componía números.

En 1923 debutó como director de orquesta en Berlín, con la *Gotrian Steinweg.* Dirigió varios conciertos en la Exposición de Sevilla y después de nuevas entrevistas con los libretistas de *Katiuska* terminaron la producción y Sorozábal ultimó la partitura que le haría conocido. *Katiuska,* opereta en dos actos, se estrenó en el teatro Victoria de Barcelona, el 27 de enero de 1931 y en el Cine Astoria, hoy Rialto, de Madrid, el 11 de mayo de 1932. El ya triunfador maestro decidió residir en Madrid. Era tiple de la compañía lírica que le representaba *Katiuska* la joven Enriqueta Serrano, con la que el también joven compositor se casó al año siguiente.

Con los mismos autores, González del Castillo y Martí Alonso, presentó *La isla de las perlas,* el 7 de marzo de 1933. En este año, el 27 de octubre, dio a conocer la "ópera chica" *Adiós a la bohemia,* sobre la obra de Pío Baroja. Obtuvo nuevo éxito, ya que se trata de una de las partituras más bellas y logradas del maestro donostiarra. Datan de los años 1933-1935: *Sol en la cumbre,* libro de C. Carreño; *El alguacil Rebolledo,* argumento de Arturo Cuyás de la Vega; *No me olvides,* comedia lírica, libreto de Federico Romero y Guillermo Fernández Shaw (teatro de la Zarzuela, segundo trimestre de 1935); *La Rosario; La guitarra de Fígaro,* y *La del manojo de rosas,* famoso sainete lírico, de Francisco Ramos de Castro y Anselmo Carreño, cuya primera representación tuvo lugar en el teatro Fuencarral, el 13 de noviembre de 1934. Se hallaba Sorozábal en etapa verdaderamente prolífica, y así estrenó, el 16, o sea, tres días después del sainete mentado, *La casa de las tres muchachas,* en el teatro de la Zarzuela; de su partitura, que consta de doce números, siete son de Schubert y los restantes escritos por el futuro autor de *Don Manolito,* sobre motivos del genial compositor vienés.

En 1936 sometió a público y crítica, en el teatro Tívoli barcelonés otra producción de éxito, el romance marinero *La tabernera del puerto,* de Federico Romero y Guillermo Fernández Shaw, que no llegó a Madrid hasta el 23 de marzo de 1940.

En 1936 Sorozábal era nombrado por el Ayuntamiento de Madrid, director de su Banda Municipal, plaza vacante por fallecimiento de Villa. Debutó con ella el 28 de mayo de 1936, en la casa consistorial, en una recepción ofrecida a los concurrentes a la *LX conférénce de Hautes Etudes Internationales;* el día 31 del mismo mes lo hizo en el parque del Retiro. Sorozábal consiguió que la Banda siguiese en el mismo elevado nivel artístico que la colocó su fundador y primer director, el maestro madrileño Ricardo Villa; en 1937 la dirigió en cincuenta y seis conciertos, uno en Madrid y los demás en sus desplazamientos por Levante y Cataluña. El 1 de mayo del año citado actuó en el Gran Teatro Liceo de Barcelona, con un magnífico programa y, al final del concierto, en unión de la Banda Municipal barcelonesa, asimismo magnífico conjunto que dirigía el maestro Juan Lamotte de Grignon, bajo la batuta del maestro Enrique Morera, interpretaron su célebre sardana *La Santa Espina.* De regreso la Banda en Madrid, en junio de 1938 desarrolló una audición en el teatro Español, que fue la última que dirigió Sorozábal, pues presentó su dimisión con carácter irrevocable.

El autor de *Katiuska,* que en 1945 lo era de varias composiciones sinfónicas, algunas de carácter vasco, tales como *Dos apuntes vascos: Mendian y Txistulariak, Suite vasca,* para coros y orquesta, en tres tiempos: *Kataliñ, Kun-kun* y *Soguiñ dantza; Variaciones sinfónicas sobre un canto popular,* etc., fue llamado por la Orquesta Filarmónica para que la dirigiese, puesto que su fundador, el maestro Pérez Casas, se había puesto al frente de la Orquesta Nacional. Se presentó el 7 de noviembre de 1945 en un concierto extraordinario, en el que se escucharon, entre otras obras, *Noches en los jardines de España,* de Falla, con Ataulfo Argenta al piano, y *Petrouchka,* de Strawinsky. Dirigió la orquesta madrileña hasta diciembre del año 1952 con algunas interrupciones; en 1947 realizó un jira por Hispanoamérica, dando a conocer varias obras líricas suyas y en Madrid tuvo que preparar el montaje y estreno de otras; no obstante, realizó una labor meritísima, tanto en la parte directorial como en la programación: dio primeras audiciones de páginas de Beltrán Pagola (su profesor donostiarra), del padre Massana, etc., y rindió homenajes a Bretón, Chapí y Pérez Casas.

Destacados éxitos directoriales de Sorozábal dignos de destacarse son: los dos conciertos en que dirigió a la Orquesta Nacional, el 1 y 8 de marzo de 1946, y el montaje y dirección general de la ópera *Canigó,* del padre Antonio Massana, en el Liceo de Barcelona, el 21 de mayo de 1953.

Datan de 1940 a 1954 las siguientes producciones de Pablo Sorozábal: *¡Cuidado con la pintura!* (Federico Romero y Guillermo Fernández Shaw, Valencia, 9 de diciembre de 1939, Madrid, cine Rialto, verano de 1940); *Black el payaso,* opereta en un prólogo y tres actos (Francisco Serrano Anguita, Barcelona, Coliseum, abril de 1942, Madrid, teatro Reina Victoria, 18 de febrero de 1943); *Don Manolito,* sainete en dos actos (Luis Fernández de Sevilla y Anselmo Carreño, teatro Reina Victoria, 24 de abril de 1943);

La eterna canción, sainete madrileño en dos actos (Luis Fernández de Sevilla, Barcelona, teatro Principal, 21 de enero de 1945, Madrid, teatro Reina Victoria, setiembre del mismo año); *Los burladores,* zarzuela en tres actos (hermanos Alvarez Quintero, teatro Calderón, 10 de diciembre de 1948); *Entre Sevilla y Triana,* sainete lírico en dos actos (Luis Fernández de Sevilla y Luis Tejedor, teatro circo Price, 8 de abril de 1950); *Brindis,* revista en dos actos (Luis Fernández de Sevilla y Luis Tejedor, teatro Lope de Vega, 14 de diciembre de 1951) y *La ópera de mogollón,* zarzuela bufa, en un acto (Ramón Peña, teatro Fuencarral, 2 de diciembre de 1954).

El 8 de noviembre de 1958, Sorozábal sufrió la dura prueba de ver morir a su esposa, la magnífica artista Enriqueta Serrano, que intervino en las representaciones de casi todas las obras enumeradas y le dio un hijo, Pablo.

En colaboración con su hijo, el 23 de diciembre de 1958, estrenó en el teatro de la Zarzuela, en acertada campaña lírica que llevaba a cabo como empresaria Lola Rodríguez Aragón, la comedia lírica en tres actos *Las de Caín,* adaptación de la comedia de los Quintero. Dos años antes, el bailarín Antonio incluyó en su repertorio unas páginas de Sorozábal *Paso a cuatro,* sobre melodías de compositores del siglo XVIII, que dio a conocer en el Festival Internacional de Granada.

Sorozábal ha compuesto varias partituras cinematográficas: *Jai-Alai, María, matrícula de Bilbao, Mar-*

celino pan y vino (en colaboración con su hijo), etc.

Llevado de su admiración por Albéniz y Barbieri, del primero reformó e instrumentó la zarzuela *San Antonio de la Florida* (teatro Fuencarral, 19 de noviembre de 1954) y la ópera *Pepita Jiménez,* "reestructuración del libreto y de la partitura original" (teatro de la Zarzuela, 6 de junio de 1964), y del segundo, modificó y reinstrumentó la zarzuela *Pan y toros* (nueva versión del libro de José María Pemán).

Sorozábal es autor de numerosas obras corales, entre ellas del popular zortzico *Maite;* de *Victoriana,* Suite orquestal sobre coros de Tomás Luis de Victoria. Para el "Homenaje pianístico a la memoria de Juan Crisóstomo de Arriaga" escribió *Lamento;* su melodía es una canción popular vasca dotada de armonización moderna y ritmo original.

Acaba de ultimar una ópera sobre el drama *Juan José,* de Joaquín Dicenta.

Una de sus últimas composiciones es una conmovedora Marcha fúnebre vasca, titulada *Gernika,* escrita para txistus, trompas y tambores. Sobre ella ha dicho el mismo Sorozábal: "Mi *Gernika* es lo que más aprecio de cuanto yo he hecho en mi vida y por ello la he dedicado a la memoria de mi madre".

SOROZABAL MARIALCURRENA, Regino. Violoncellista y compositor.

Nació en San Sebastián, en 1900, donde estudió, en la Academia de Música, solfeo, violoncello y piano, obteniendo la calificación de sobresaliente; por ser el alumno más aventajado de la clase lo nombraron solista del conjunto instrumental. Fueron profesores suyos Alfredo Larrocha y José de Olaizola.

Sin haber cumplido quince años tocaba el violoncello en el cine Miramar, del que pasó a la orquesta del Gran Casino, interviniendo tanto en los conciertos diarios que dirigía Larrocha, como en las audiciones extraordinarias que tenían lugar bajo la dirección de Enrique Fernández Arbós.

En 1925 se trasladó a Vitoria y, mediante oposición, ganó la plaza de profesor en el Conservatorio. Tuvo por compañero y amigo al compositor José Uruñuela, que le dedicó dos obras para violoncello: *Jorrain-Dantza,* tema con variaciones, y una *Melodía Vasca.*

Regino Sorozábal es autor, entre otras composiciones, de un sainete lírico, en dos actos, *Modos nuevos o el Madrid de los rascacielos,* que lo terminó en Vitoria el año 1936, y de la canción para voz y piano *Iturri-negarra* ("El llanto de la fuente"), texto del exquisito poeta Esteban de Urquiaga "Lauaxeta".

Falleció en Madrid, el 7 de enero de 1971.

SOSTOA, Manuel de. Compositor guipuzcoano.

Nació en Eibar, donde fue bautizado el 23 de marzo de 1749. Tomó el hábito en Aránzazu, el 17 de setiembre de 1764 y profesó franciscano al año siguiente.

Lo consideraron "músico notable en el género religioso". En el archivo musical del convento de Aránzazu se conservan de Sostoa varias obras fechadas entre 1768 y 1802. En la Colección "Música de tecla del país vasco, siglo XVIII", el padre Donostia ha publicado de Sostoa una *Sonata* para clave u órgano en "Re" mayor, que tiene ligereza y gracia merced a la medida sincopada de su tema, y un *Allegro* que evoca veladamente a la música popular del momento.

SOTES ORRADRE, Dimas. Maestro de capilla y director de coros.

Nació en Belascoain (Navarra), el 25 de marzo de 1901.

Fueron sus profesores de piano y armonía Félix Pérez de Zabalza (entonces organista de la Catedral de Pamplona) y Bonifacio Iraizoz.

De 1922 a 1927, dirige la *Schola Cantorum* del Seminario de Pamplona y el 16 de junio de 1927 es ordenado sacerdote por el obispo don Mateo Mújica Urrestarazu, cantando su primera misa solemne, el 25 de junio en la iglesia de San Ignacio de la capital de Navarra, en la que participa la Schola Cantorum del Seminario.

Este mismo año, 1927, llega a Vitoria y, tras duras oposiciones, es nombrado maestro de capilla de la S. I. Catedral de la ciudad alavesa, beneficio que viene ocupando hasta la actualidad.

Dirige la Schola Cantorum del Seminario vitoriano de 1927 a 1932, destacándose su actuación en el Congreso Nacional de Música Sacra, celebrado en Vitoria.

En 1939 funda la Escolanía de Tiples; bajo su dirección, mediante su encendido celo artístico y educacional ha llegado la Entidad a las bodas de plata (1964).

SUAREZ, Blanquita. Tiple cómica y canzonetista.

Nació en San Sebastián, en fecha indeterminada.

A los catorce años se destacó como tiple cómica y actuó con importantes compañías de opereta, interpretando los primeros papeles en *La viuda alegre, El conde de Luxemburgo,* etc.

En 1918 debutó como canzonetista en Barcelona con éxito que la acompañó en sus actuaciones por toda la península.

Volvió al teatro lírico, triunfó con algunas revistas, una, *El sobre verde,* y cultivó de nuevo el cuplé, hasta retirarse hacia 1960, contando más de sesenta años.

SUAREZ, Cándida. Tiple.

Nació en San Sebastián, en fecha indeterminada.

Hija del barítono Leopoldo Suárez y hermana de Blanquita, preparada por ambos, muy joven abordó el teatro lírico, destacándose rápidamente en el género chico y en la opereta vienesa. Triunfó cantando *La Viejecita, Molinos de viento, El carro del sol,* etc.

Perteneció a las famosas compañías de revista de Eulogio Velasco y José Juan Cadenas.

Se retiró para contraer matrimonio; enviudó y volvió a la escena; fue contratada para cantar en París, le dispensaron acogida favorable y logró éxito.

TABERNA TOMPES, Luis. Organista.

Nació en Lesaca (Navarra), el 29 de abril de 1909.

Cursó los primeros estudios de solfeo, piano y órgano con Francisco Viela, organista de la parroquia de San Martín, de su villa natal. A los catorce años, por fallecimiento del nombrado Viela, desempeñó su plaza al tiempo que continuaba sus aleccionamientos con Miguel Echeveste.

En 1926 pulsaba el órgano de la iglesia de Lumbier y en 1930 ganó, mediante oposición, los cargos de organista y director de la Banda de Alsasua.

Empezó su actividad de concertista de órgano y, con motivo de interpretar sus obras, se relacionó íntimamente con Guridi, Zubizarreta, Urteaga...

Obtuvo el primer premio para organistas convocado por el "Diario de Navarra"; en 1956 realizó una jira de recitales por Cataluña, Mallorca y Menorca y a continuación otra por Estados Unidos, Cuba y Méjico, logrando éxitos extraordinarios.

Ha actuado en los Festivales de España; en los conciertos de homenaje a Cabezón, con motivo del cuarto centenario de su muerte, celebrados en Burgos, y en los de la Semana Internacional de Música Sacra.

Actualmente ejerce la cátedra de órgano en el Conservatorio de Música "Pablo Sarasate", de Pamplona.

TABUYO, Ignacio. Barítono guipuzcoano fallecido en fecha indeterminada.

Estudió canto con Antonio Selva, en Milán, donde debutó en 1888 con *La Favorita,* logrando éxito, primero de la larga serie que obtendría en cuantos teatros actuó.

En la temporada 1889-1890 del Real, de Madrid, en el mes de octubre de 1889 cantó *Lohengrin,* donde intervino Gayarre. A la muerte del divo navarro, el letrista Vicente Sanchís y el maestro Arrieta compusieron un himno a su memoria; se estrenó en el Centro del Ejército y de la Armada, el 30 de marzo de 1890; Tabuyo se contó entre sus intérpretes, que fueron la Paoli y los cantantes Suañes y Wanrel.

A raíz de la presentación de Tabuyo en el coliseo de la plaza de Oriente, en el semanario "La Avispa" insertaron su retrato y en el pie constaba:

"Un cantante de valía
que ha venido a demostrar
que nunca acaba de dar
músicos la Euskal-Erria".

El 2 de marzo de 1890 estrenó en el Real la ópera *Doña Juana la Loca,* de Emilio Serrano, y el 29 de marzo de 1892, *Edgar,* de Puccini.

Ignacio Tabuyo desempeñó una cátedra de canto en el Conservatorio de Madrid desde 1909, y en 1920 pasó a profesor numerario.

TELLERIA ARRIZABALAGA, Juan. Compositor.

Nació en Cegama (San Sebastián), el 12 de julio de 1895. Murió en Madrid, el 25 de febrero de 1949.

Estudio en San Sebastián con los profesores Germán Cendoya y Beltrán Pagola y fue pianista de cafés y cines.

En 1915 se residenció en Madrid.

El 17 de noviembre de 1917 la Orquesta Sinfónica madrileña, bajo la dirección de Arbós, interpretó por primera vez *La dama de Aitzgorri,* ensayo sinfónico de Tellería. Esta obra fue seguida de *Andante y Danza rústica,* para cuarteto, primera audición en la desaparecida Sociedad Nacional de Música, el 5 de abril de 1919. Este año marchó a París, después se desplazó a Alemania y en 1925 estaba ya de regreso.

Con su maestro Conrado del Campo, abordó el género lírico, y el 17 de junio de 1927 estrenó en el teatro Eslava, con la compañía de Celia Gámez, la humorada lírico-bailable *El cabaret de la academia.*

Tres años más tarde, dio a conocer, el 26 de diciembre de 1930, en el teatro Circo de Price, la opereta *Los blasones,* libro de Francisco García Loygorri y Antonio González Alvarez, cuya acción sucede en Rusia, en la época de los zares.

Tellería logró otro éxito con *El joven piloto, Cuadros sentimentales de la vida en el mar y en los puertos,* trama de Luis Urquijo Landeche y Jacinto Miquelarena, que tuvo la primera representación en el teatro Calderón, el 7 de diciembre de 1934.

Por el año 1934 compuso su pasodoble *Venta de Vargas.*

Escribió el himno *Cara al sol,* y más tarde otros dedicados a la División Azul, la Vieja Guardia, el Frente de Juventudes, etc.

Hasta 1946, desempeñó la cátedra de Música de Cámara del Conservatorio.

Ultima producción lírica del compositor guipuzcoano es *Las viejas ricas,* texto de José María Pemán y José Carlos de Luna.

Compuso *Alegre primavera,* libreto de Julio Bravo, que dejó pendiente de instrumentar; con el nombrado autor colaboró en una obrita de *Teatro en casa, Don Cugat de Escalada,* comedieta de capa y espada. Con el original literario editaron una fina *Serenata.*

Juan Tellería, creador del lied *Aizean barnan* ("En pleno aire"), al fallecer contaba cincuenta y cuatro años de edad.

TORREMUZQUIZ, Conde de. (Aguirre - Miramón).

Celebrado autor de los *Rigodones Euskaros,* fue alcalde de San Sebastián y en este período llegó a dirigir la Banda Municipal en el kiosko del Bulevar, en uno de sus conciertos habituales, dando con ello ejemplo de alcalde filarmónico.

Fue fundador y presidente de la Real Sociedad Vascongada de Amigos del País en su segunda época.

Dirigió la Revista Vascongada.

M. Ol.

TURRILLAS EZCURRA, Manuel. Compositor.

Nació en Barasoain (Navarra), el 1 de enero de 1905.

A los ocho años, en su villa natal, empezó solfeo con Manuel Rodero y clarinete con Manuel Villar; se destacó en el nombrado instrumento y, al domiciliarse en Pamplona el año 1930, mediante oposición ingresó como clarinete primero en la Banda Municipal.

En la capital de Navarra cursó armonía y composición con los profesores Eleuterio y José María Munárriz.

Allá por el año 1934 unos músicos de Puente la Reina le solicitaron una obra de carácter popular; unió la *Biribilketa* o marcha vasca en compás de seis por ocho con la Jota de la Ribera; agradó mucho a quienes la habían encargado como a cuantos la escuchaban y fue el principio de su carrera de compositor de música netamente navarra con la que ha alcanzado gran popularidad, sobre todo por sus *Pasacalles* que ha escrito en gran número y los tiene dedicados a casi todas las Peñas Sanfermineras, como *Lizarrakoa, Joshe Miguel,* etc.

En el concurso de Radio Popular titulado "Canción de los Sanfermines", en 1968, Turrillas llevaba logrados tres premios por sus canciones *Colorín, Alegría Sanferminera* y *Pamplona por San Fermín,* éste con bella letra de Baldomero Barón Rada.

Es autor de más de cien piezas dedicadas, en su mayor parte, a las fiestas de San Fermín y en las que a veces se ensalzan los bellos lugares pamploneses, sus murallas, jardines, sus costumbres, el encierro, etc. Más de treinta las ha grabado en disco por las Agrupaciones "Los Iruña'ko", los hermanos Anoz, los hermanos Olaverria y "Los Pamplonicas". Son sus mayores éxitos *Oberena, El bullicio, Aldapa, Chantreana, Navarrerías, Radio Falces* y *La Feria del Toro.*

A petición de sus compañeros, los profesores músicos de la Banda Municipal, el Ayuntamiento le concedió en 1967 el "Pañuelo de Honor", que se otorga a aquellas personas que, de diversas formas, contribuyen a dar realce a las Fiestas de San Fermín de Pamplona.

UNAMUNO, Jesusilla. Canzonetista bilbaina.

En Madrid, y en todos los escenarios de variedades de la península, triunfó por su finura de dicción del cuplé, si bien, conforme escribieron: "Era buena moza, coloreada por la brisa del Cantábrico y fuerte como un pelotari vasco".

Fue hermana de Encarnita Unamuno, bailarina excelente que, como Jesusilla, triunfó durante la edad de oro de las variedades.

URIARTE, Eustaquio de. Musicólogo.

Nació en Durango (Vizcaya), en 1863. Murió en Motrico (Guipúzcoa), el 17 de setiembre de 1900.

En 1878 ingresó en la Orden Agustiniana.

A los veinte años empezó a escribir y publicar artículos musicales; tenía algunos conocimientos de piano y violín y la música que conocía se reducía a contadas páginas de Haydn, Mozart, Beethoven, Chopin, Schubert y Nicolás Ledesma que había escuchado tocar al piano al padre Matías Aróstegui, y el repertorio del *Museo Orgánico Español* de Eslava. Durante algún tiempo, por lo que se desprende de algunos escritos, Chapin y Eslava fueron sus ídolos, pero su deficiente preparación la suplía con su intenso fervor por la música.

La música, según San Agustín, Gounod y su himno a San Agustín y *La expresión de la música* inician sus trabajos musicológicos, que luego siguió de otros en los que procuraba la restauración del canto gregoriano, lo que llegó a ser su obsesión.

Se destacó por sus intervenciones en el Congreso Católico que se celebró en Madrid el año 1888, en el que tomaron parte los musicólogos y compositores Barbieri y Pedrell, y en los de Sevilla (1892), Bilbao (1896) y Palma de Mallorca (1900).

En 1891 apareció su *Tratado teórico-práctico de canto gregoriano, según la verdadera tradición,* del que escribieron: "Era una obra singular, como no se había publicado otra en España" y recibió juicios laudatorios del compositor mallorquín Antonio Noguera, de Felipe Pedrell y otros.

Más artículos de Uriarte son *La ópera nacional española, La música española, El drama lírico,* etc., que paulatinamente insertó en la "Revista Agustiniana", "La Correspondencia Musical", "La Ciudad de Dios" y "La Ilustración Musical".

Hacia 1896 fue destinado al nuevo colegio que los padres Agustinos fundaron en Guernica; como gozaba de bastante fama en el movimiento musical, constantemente era invitado a los actos que tenían lugar en Bilbao; así escuchó una *Misa* y parte del oratorio *La resurrección de Cristo,* de Perossi; la ópera vasca *Txanton-Piperri* (a la que dedicó dos críticas), una serie de conciertos consagrados casi exclusivamente a Berlioz por la Orquesta Colonne, que motivaron redactarse la crónica *Berlioz y el Poema sinfónico.*

El curso 1899-1900 lo pasó en el Colegio Agustiniano de Palma de Mallorca y, a su final, regresó a la Península falleciendo a los pocos meses. Unos trabajos acerca del Oratorio de Perosi *La resurrec-*

ción de Lázaro, que publicó en "La última hora" a continuación de escucharlo en Palma, y *Concepto racional e histórico de la música religiosa* constituyen la labor crítico-musical del padre Uriarte en el último año de su vida.

BIBLIOGRAFIA:

Padre Luis Villalaba Muñoz, O. S. A. "Ultimos músicos españoles del siglo XIX". Semblanzas y notas críticas. "El padre Uriarte", de la página 1 a la 45. El Escorial, Real Colegio de Alfonso XII, abril de 1904. Ildefonso Alier, Editor de Música. Madrid, 1914.

URMENETA SESMA, Amado. Compositor.

Nació en Muniain (Navarra), el 13 de setiembre de 1896.

Cursó solfeo, piano y armonía con el profesorado de la Escuela de Música de Pamplona.

A los veinticinco años de edad se domicilió en Barcelona para dedicarse de lleno a la música, enseñanza, actuaciones como pianista y dirección de agrupaciones instrumentales.

En 1917 abordó la composición de música; obtuvo grandes éxitos con numerosos pasodobles, entre ellos *Coralito, Paso al fandanguillo, Venta de Goya,* etcétera, que se encuentran en la línea de los famosos *Gallito, La Giralda,* etc.; los pasodobles de Urmeneta, por sus inspiradas melodías y brillantes instrumentaciones, alcanzaron internacionalidad en una etapa (antes de 1930) en que poca música española salía al exterior. Se interpretaron y se siguen tocando mucho por conjuntos de Inglaterra, Alemania, Francia, Italia, Suiza, Polonia, Argentina..., naciones de las que, a través de la Sociedad General de Autores percibe crecidos derechos de autor.

Ascienden a más de doscientas cincuenta las composiciones que Urmeneta tiene publicadas y dadas a conocer.

Es Consejero, por la Sección Musical, de la Sociedad General de Autores.

No olvidando a Navarra, algunas piezas las ha basado en el folklore navarro, por ejemplo: su acertado pasodoble *Toros en Pamplona.*

URQUIJO, José María. Profesor de música y concertista de acordeón.

Nació en Bilbao, el 20 de mayo de 1943.

A la edad de nueve años inició los estudios musicales con los profesores Osorio, Vidal, Castrillo y Azpitarte en el Conservatorio Vizcaino de Música "Juan Crisóstomo de Arriaga", y los amplió en Alemania con el maestro Albert Moller.

Dotado de facultades excepcionales, muy joven empezó a desarrollar conciertos de piano y acordeón, destacándose en este instrumento, por lo que concurrió a los Certámenes Nacionales de Acordeón de los años 1959, 1960 y 1961 proclamándose este último año Campeón del Trofeo Nacional. En Ancona (Italia) se colocó en quinto lugar en el Trofeo Mundial, y en Hamburgo (Alemania), capital a la que fue seleccionado para representar a España, obtuvo otro quinto lugar en reñida competición con más de cuarenta participantes de distintos países y, todos, con más edad que José María Urquijo.

Posee numerosos diplomas logrados en diversos concursos; en ellos se hace notar por su sensibilidad artística y madurez interpretativa, fruto de su completa carrera musical.

Tres años integró el famoso grupo músico-vocal "Los Bocheros", con el que ha recorrido América y Canadá y grabado discos.

Da clases de música en el Colegio "El Salvador", de Hermanos Maristas, de Bilbao, y es profesor honorario del Centro de Estudios Musicales de Ancona.

URQUIJO Y LANDECHO, Luis. Marqués de Bolarque. Musicólogo de origen vasco.

Simultaneó la carrera de Leyes con la musical y tuvo entre otros profesores a José María Guervós.

Desde joven ayudó a hacer factibles los anhelos de superación artística de numerosos concertistas y concedió becas, para ampliación de estudios, a diversos artistas: Teresa Berganza, Inés Rivadeneira, Francisco Costa, Víctor Martín, García Asensio, Joaquín Achúcarro, Juan Tellería, Ataulfo Argenta, etc. Regaló pianos de cola a Argenta y Terán y un violín "Petrus Guarnierus" a Francisco Costa.

En colaboración con Jacinto Miquelarena escribió el libro de zarzuela *El joven Piloto* que dio a musicar a Juan Tellería, quien finalizó la acertada partitura merced a su hospitalidad y vigilancia.

Fundador y Presidente de la Sociedad de Estudios y Publicaciones, además de editar textos históricos y filosóficos ha puesto interés en la publicación de algunas partituras musicales, *Concierto de Aranjuez,* de Rodrigo, *Misa Ducal,* de Cristóbal Halffter y el libro biográfico *Igor Strawinsky,* de Federico Sopeña.

Hacia 1950 Urquijo y Landecho fundó la Orquesta de Cámara de Madrid, con la que inició su carrera de director Ataulfo Argenta y desarrolló campañas de subido interés musical. El Ayuntamiento madrileño concedió a Urquijo por tal fundación la medalla de plata de Madrid.

Nombrado embajador de España en Alemania, hizo posible la actuación en el Festival de Edimburgo del año 1958, de la Orquesta Nacional, bajo la dirección de Eduardo Toldrá, con la colaboración de Victoria de los Angeles y de la compañía de ballet de Antonio. Facilitó las actuaciones de buen número de concertistas, consagrados y noveles, y disertó en centros culturales y diplomáticos acerca de la música hispánica.

Es miembro de la Junta Asesora de Música del Ministerio de Educación y Ciencia, de la Junta de la Sociedad de Amigos del Arte (Sección de Música). En esta Entidad contribuyó eficazmente a llevar a cabo la exposición *La música en las artes plásticas.*

Luis Urquijo y Landecho fue elegido académico de la Real de Bellas Artes de San Fernando para sustituir al infante don José Eugenio de Baviera y Borbón. Ingresó en ella el 3 de marzo de 1968 y a su discurso: "Destino e ilusión para la obra artística", le contestó Oscar Esplá.

URQUIJO Y RESPALDIZA, José. Profesor de música, crítico musical.

Nació en Bilbao, el 31 de marzo de 1916.

Estudió solfeo, piano y armonía con los profesores Arregui, Isasi, Guridi, Aragüés y Clara Bernal, la que lo tenía por discípulo predilecto, dadas las magníficas condiciones que poseía.

Amplió y completó la carrera en Francia con Sandemoy Gazave y en Italia con Farina y Casagrande.

De regreso en la capital de Vizcaya ejerció intensamente el profesorado musical; sintiendo gran predilección por el acordeón ha disertado acerca de él, en gran número de entidades, y colaboró eficazmente con Tomás Rodríguez Márquez en la fundación de la Asociación Española de Acordeonistas, propagandística de este instrumento.

Frecuentemente integra los jurados de las competiciones internacionales para los Trofeos Mundiales de acordeón.

Redacta artículos y críticas para las Revistas "Ritmo" (desde 1945), "El Acordeonista", "Strumenti & Música", etc.

URTEAGA, Juan. Organista y compositor.

Nació en Valmaseda (Vizcaya), en 1914. Hijo del maestro Luis Urteaga Iturrioz.

En San Sebastián ejerció el profesorado musical, pulsó el órgano en distintas iglesias, dirigió la capilla de Santa María y fue crítico musical de "La Voz de España".

Se desplazó a San Juan de Puerto Rico para desempeñar una cátedra en la Escuela Libre.

Es autor de obras corales, de música para distintos documentales y páginas para órgano.

Con destino al "Homenaje pianístico a la memoria de Juan Crisóstomo de Arriaga", concibió una *Sonatina,* bella composición en la que se advierte cierta influencia romántica; tiene trazos modernos a los que se mezcla una sencillez encantandora que evoca estudios pianísticos.

URTEAGA ITURRIOZ, Luis. Organista y compositor de música religiosa.

Nació en Villafranca de Oria (Guipúzcoa), en diciembre de 1882. Murió en San Sebastián, el 11 de abril de 1960.

El año 1919 ocupó el cargo de organista de la parroquia de San Vicente que todavía desempeñaba al fallecer. Durante veintiocho años perteneció al claustro de profesores del Conservatorio Municipal de Música donostiarra. Legó muchas obras religiosas; uno de sus últimos trabajos, que realizaba por el año 1958, fue escribir unos acompañamientos para la Colección *Cantos para la Santa Misa* que, con texto vasco y castellano acababa de publicar el Seminario Diocesano de San Sebastián.

Luis Urteaga compuso, para el "Homenaje pianístico a la memoria de Juan Crisóstomo de Arriaga" un *Breve responso gregoriano,* página completamente sacra, lo que supuso originalidad en una pieza encomendada al piano; además, era como la intención de rezar un responso por el alma de Juan Crisóstomo.

URUÑUELA, José. Compositor.

Nació en Vitoria, el 28 de julio de 1891. Murió en fecha indeterminada, antes de 1964.

Es autor de una producción musical netamente vasca, entre ella se encuentran: *Agur María* (página coral); *Jorrain-Dantza* (tema con variaciones) y *Melodía vasca* (ambas para violoncello y piano); *El clavecín de Bendaña* (obra pianística) y *Aurresku bizkaino* (en cuatro tiempos, para orquesta).

El clavecín de Bendaña, "vieja música vasca para piano", está dedicado "Al P. José Antonio de Donostia", quien a su frente escribió una "Presentación"; en ella se leen estos dos párrafos: "El autor no ha pretendido ofrecernos novedades; su deseo ha sido más sencillo: fijar con un ropaje armónico adecuado viejas melodías para txistu... *Restauración* es su palabra. *Re-creación,* diríamos mejor, pensando en lo que este cuaderno significa. Uruñuela, al publicar este *Clavecín de Bendaña* reanuda, digámoslo así, una tradición, rectificándola... Le imprime una dirección vasca porque, aún suponiendo que de fuera nos hubieran venido algunas de estas tocatas, se han aclimatado al pasar por los dedos de los txistularis pueblerinos, que las sellan con un sello característico, propio del juglar popular". Integran esta producción siete piezas, la cuarta se titula *La deploración de Juan Crisóstomo de Arriaga,* con la que el autor obra de manera similar a Josquin des Prés con *La déploration de Johan Okeghem.*

El *Aurresku bizkaino* lo finalizó Uruñuela en París, en 1938, y lo interpretó en primera audición la Orquesta de los Conciertos Pasdeloup, bajo la dirección de Alberto Wolf, el domingo 22 de enero de 1939; lo constituyen *Asierako-Dantza, Contrapas, Zortzico y Axeri-Dantza.*

USANDIZAGA y SORALUCE, José María. Compositor.

Nació en San Sebastián, el 31 de marzo de 1887. Murió en la misma capital, el 5 de octubre de 1915.

Su madre, pianista notable, fue su primera profesora y descubridora de sus dotes musicales. Germán Cendoya y Beltrán Pagola, le dieron clases de piano y armonía.

En París, en la Schola Cantorum, recibió aleccionamientos de Vicente d'Indy y de Francisco Planté. Siendo alumno de dicho Centro compuso un *Scherzo* para piano (contaba catorce años), que es correcto, a pesar de la escasa edad a que lo escribió. A los dieciséis ultimó una *Suite.*

De regreso en su ciudad natal creó *Irurak bat,* fantasía vasca orquestal, *Bidasoa,* obertura para banda, diversas páginas para piano, entre ellas un *Impromptu,* dos valses y la pastoral lírica *Mendi-Mendiyan* ("En lo alto de la montaña"), en tres actos y epílogo, libro de José Power, que se dio a conocer en el coliseo de los Campos Elíseos, de Bilbao, el 21 de mayo de 1910 y en San Sebastián, en el teatro Circo, el 15 de abril de 1911. La obra posee música de altos vuelos, dramática, cuya raigambre vasca culmina en el acto tercero, en su introducción y en la escena primera que la integran: la romería, entrada de los pastores en la ermita, Ave María y varios bailes, entre ellos el *Ariñ-ariñ.*

Animado Usandizaga con el éxito de *Mendi-Mendiyan,* decidió seguir cultivando el teatro lírico y, para obtener mayor difusión, con libretos en castellano. El escritor bermeano Juan Arzadun Zabala empezó a redactar uno, que se hubiese titulado *Costa brava;* entregó al joven maestro diversas escenas, que empezó a musicar, mas se hallaba muy delicado de salud (padecía tuberculosis), trabajaba despacio y quedó en esbozo. Una melodía de la obra proyectada es base de la pieza pianística *Los reyes magos.*

Tuvo ocasión de relacionarse con Gregorio Martínez Sierra. De su libro *Teatro de ensueño* eligió el músico donostiarra la producción *Saltimbanquis,* que se llamaría *Las golondrinas;* la compuso durante el verano de 1913 en un caserío cercano a Urnieta, denominado "Aguerre". El 5 de febrero de 1914, la compañía de Emilio Sagi-Barba y Luisa Vela estrenó en el teatro Circo Price, de Madrid, *Las golondrinas,* con éxito total, que colocaba a Usandizaga en la primera línea de los compositores dramáticos del momento. A partir de la bella e inspirada *Pantomima* la representación transcurrió en medio de un triunfo de clamor.

Transcurrida la estancia de Usandizaga en Madrid y en varias capitales de provincias en las que se personó para asistir a la primera representación de su drama lírico, volvió a San Sebastián, y, a mediados de 1915, se instaló en Yanci (Navarra) e inició la composición de la ópera *La llama,* libro también de Martínez Sierra. Llegada la primera decena de setiembre el maestro empeoró y lo condujeron a la bella Easo, donde dejó de existir a los veintiocho años de edad. La partitura de *La llama,* excepto el preludio del acto tercero, que terminó Ricardo Villa, la dejó concluida e instrumentada; tuvo lugar su estreno en San Sebastián, en el Victoria Eugenia, el 20 de enero de 1918, y en Madrid, en el Gran Teatro, el 30 de marzo del mismo año.

Usandizaga es autor, además de las obras enumeradas, de un *Cuarteto en "Sol" menor,* para instrumentos de arco y de las de marcado carácter vasco, para coros: *Hassham y Melinach, Median y Txistulareatx, Umezurtza, Txontxoa Nova Va, Mari Domingi, Lo lo, Beñat mardo, Ixantxangorriya, Eguntho batez, Gabonetan, Txoriñoa nora au, Ormatxulo, Euskal erri maiteari,* etc.

BIBLIOGRAFIA:

"El caballero audaz" (José María Carretero). "Galería", tomo III, "Usandizaga", páginas 409-413. Madrid, 1946.

María Martínez Sierra, "Gregorio y yo". "José María Usandizaga", páginas 104-118. Méjico, 1953.

Angel Sagardía. "Cuatro músicos vascos: Padre Donostia, Usandizaga, Tellería y Arámbarri". "Ediciones de Conferencias y Ensayos". Madrid, 1965.

Rogelio Villar, "Músicos españoles" (Compositores y directores de orquesta", "José María Usandizaga", de la página 205 a la 210. Ediciones Mateu, Madrid (sin fecha de edición).

Guillermo Fernández Shaw, "Célebres músicos de España". "José María Usandizaga", de la página 45 a la 51. Ediciones C. P. Barcelona (sin fecha de edición).

A Miró Bachs, "Cien músicos célebres españoles", "José María Usandizaga Soraluce", de la página 205 a la 207. "Ediciones Ave", "Pentagrama", Barcelona, 1942.

A. S.

USANDIZAGA Y SORALUCE, Ramón. Director de orquesta y compositor.

Nació en San Sebastián, el 24 de marzo de 1889. Murió en la misma capital, el 28 de junio de 1964.

En su ciudad natal cursó los estudios musicales. Hermano del inolvidable Joxe-Mari, al morir éste y dejar incompleta la ópera *La llama,* colaboró en su terminación, y la obra lírica *Las golondrinas* la convirtió en ópera; en esta versión se estrenó en el Liceo, de Barcelona, el año 1929.

En "Memorias" anuales del Orfeón Donostiarra se encuentran inscritas de Ramón Usandizaga, integrando el repertorio de dicha masa coral, entre otras obras: *Salve, Canción de niñas, Lo, lo, Triugulun tren, Itzaga, Antón se fue a La Habana,* etc.

Es autor de la zarzuela *La capa del diablo,* estrenada con éxito en una Quincena Musical, de San Sebastián, por Marcos Redondo y otros cantantes prestigiosos, y de la composición orquestal *Suite sobre motivos que tuvieron su época.*

Nombrado en 1941 director del Conservatorio de Música donostiarra, mediante su tesón lo transformó de Elemental en Conservatorio Profesional Superior, y consiguió del Ministerio, entonces de Educación, validez académica y del Municipio, para los profesores, categoría de Técnicos. En el nombrado Centro simultaneó la Dirección con las cátedras de Conjunto instrumental e Historia de la Música y Estética hasta 1963, año en que se jubiló.

Fundó la Orquesta Sinfónica del Conservatorio la que bajo su dirección desarrolló numerosos conciertos en San Sebastián y en otras capitales con programas en los que incluyó importantes páginas, algunas en primera audición, y colaborando con la masa instrumental famosos solistas, cantantes y orfeones, numerosas veces el Donostiarra, con la *Novena Sinfonía,* de Beethoven, y otras grandes creaciones para orquesta y coros. En diversas ocasiones dirigió obras líricas, una de ellas *Mendi-Mendiyan,* de Joxe-Mari Usandizaga.

VALDES, Julio. Organista y compositor de música religiosa.

Nació en Vitoria, el 12 de abril de 1877.

Sobrino de Vicente Goicoechea, recibió de él enseñanzas musicales como también de Velasco, organista de Lequeitio, y de Sainz Basabe.

Terminó su carrera eclesiástica y pulsó el órgano en Elorrio. En 1909 se trasladó a Ratisbona (Baviera), para ampliar sus conocimientos de composición, en la Escuela de Música Sagrada, con los eminentes profesores Miguel Haller, Francisco Haberl, José Renner y Carlos Weinmann.

De regreso en Bilbao lo nombraron organista de la parroquia de los Santos Juanes e inició la composición de obras religiosas, realizando en poco tiempo amplia y valiosa producción, entre la que se encuentra la grandiosa *Misa Jubilar,* a tres voces de hombre y coro popular, o a cuatro voces mixtas con órgano, obra 106, de la que han opinado: "Esta Misa, tan magistralmente trabajada en sus elementos técnicos y con miras tan altas concebida, reafirma al preclaro maestro, presbítero don Julio Valdés, en el glorioso puesto de las primeras figuras del arte litúrgico de la Iglesia".

VALLE, Aureliano. Organista, compositor y director de coros, bilbaino.

Inició sus estudios de solfeo y piano con Anacleto de Inchaurbe, organista de la parroquia de Abando; los continuó, más órgano, armonía y composición, con Nicolás Ledesma, maestro de capilla de la Basílica de Santiago bilbaina.

Sin apenas conocimientos de armonía escribió unas estrofas del *Stabat Mater* para tres voces y fagot, con lo que dio a conocer sus admirables dotes musicales. Durante un año cursó Teología en el Seminario Conciliar de Burgos, la que abandonó para dedicarse exclusivamente a la carrera musical. Empezó a pulsar el órgano de la Congregación de San Luis Gonzaga de Bilbao, compuso *Letanías,* un *Miserere* y un *Himno* a San Luis Gonzaga que se popularizó en la capital de Vizcaya, Vitoria y Burgos. Logró éxito con varias páginas profanas: *Romanzas, Arias, Dúos* y una *Barcarola,* para cuatro voces.

Se desplazó a París, donde perfeccionó el piano con Antonio Marmontel, armonía con Duprato y composición con Ambrosio Thomas. Sobrevino la guerra franco-prusiana, se quedó en la capital de Francia y tuvo que empuñar el fusil como voluntario de la República. Al entrar los alemanes en París regresó a Bilbao precipitadamente y, en la huida, perdió equipaje, libros y algunas composiciones.

En 1881 ocupó el cargo de organista y maestro de capilla de la Basílica de Santiago y en 1889 sucedió a Cleto Zavala en la dirección de la Sociedad Coral a la que hizo triunfar repetidamente.

Compuso más música religiosa, entre ella una *Misa* dotada de un Credo juzgado admirable, varias zarzuelas y zortzicos en los que mostró su conocimiento del folklore vasco.

VICONDOA ELICEGUI, Miguel. Profesor de acordeón y compositor.

Nació en San Sebastián, el 13 de setiembre de 1942.

A los diez años empezó los estudios musicales cursando solfeo, acordeón y armonía con José Adúriz, piano con la profesora García La Piúdo y composición con el maestro Francisco Escudero.

Se destacó en el acordeón y en el año 1962 consiguió el Primer Premio en el XI Certamen Nacional celebrado en Madrid.

En 1964, mediante oposición, ingresó como profesor de acordeón en el Conservatorio Municipal de

Música de la bella Easo. Varios alumnos suyos poseen diversos galardones, con lo que muestran la bondad de las enseñanzas de Vicondoa.

A continuación de alcanzar el título de Campeón del Mundo de acordeonistas-concertistas profesionales, en 1967 obtuvo en Tilburg (Holanda), Diploma como mejor profesor de acordeón de Europa. Ese mismo año fue miembro del Jurado del Certamen Mundial de Calais (Francia) y al siguiente del de Pavía (Italia).

Miguel Vicondoa es autor de una importante producción de obras para acordeón, magníficamente adaptadas por lo que proporcionan al ejecutante el máximo lucimiento; varias pertenecen al folklore vasco, entre otras *Agur Jaunak* y *El Aurresku,* y son imprescindibles en el repertorio de los acordeonistas *El pequeño cosaco* (czarda); *Rurico* y *La princesita easonense* (oberturas); *Rapsodia Eslava; El pajarillo burlador,* etc.

VILLAR JIMENEZ, Manuel. Profesor de música y compositor.

Nació en Tudela, el 3 de mayo de 1849.

Fallecido.

Perteneció a la capilla de música de la Catedral tudelana como tiple; fueron sus profesores Pablo Puebla, Angel Malumbres y Enrique Barrera. A los dieciocho años era cantor en la Basílica de Santiago, en Bilbao.

Toda su existencia la pasó en la capital de Vizcaya y ejerció el cargo de profesor de solfeo y cantos escolares de las escuelas del Ayuntamiento, labor a la que dedicó gran atención, como lo muestran sus obras didácticas: *Prontuario o gramática musical* y *Carteles musicales,* colección de cantos escolares.

Durante el cuarto sitio de Bilbao compuso el *Himno de los Auxiliares* que vino a ser la Marsellesa de los bilbainos. Más composiciones de Villar son: *Laurak-bat,* zortzico, para canto y piano, dedicado a la Sociedad vasca del mismo nombre, de Buenos Aires; *La primavera* (homenaje a Trueba); *Arbol querido,* balada vasca, e *Himno a la aplicación,* que fue interpretado en una fiesta infantil por 2.600 niños y las bandas de Santa Cecilia y Garellano.

VISUS, Ricardo. Tenor.

Nació en Carcastillo (Navarra).

En 1959 inició sus estudios en el Orfeón Pamplonés y en el Conservatorio de Música "Pablo Sarasate", de Pamplona. En el mismo año se desplazó a Madrid y prosiguió sus estudios de canto bajo la dirección de Angeles Ottein.

Obtuvo una beca de la Fundación March y, mediante oposición, una extraordinaria de la Diputación Foral de Navarra, que le permitieron marchar a Italia donde, en el curso de cuatro años, se contó entre los discípulos de los maestros Vedovelli, Patoné, Llopart y Fumagalli.

En 1962 ganó la Medalla de Oro en el Concurso Internacional de Música y Danza, G. B. Viotti, en Vercelli (Italia), donde ha actuado en teatros de Roma, Milán, Vercelli, Vigevano, etc.

En recitales y en la interpretación de oratorios, óperas y zarzuelas se ha presentado en casi todas las capitales de la península; en Sevilla cantó dos veces el famoso *Miserere de Eslava.*

ZABALETA, Nicanor. Arpista.

Nació en San Sebastián, el 7 de enero de 1907.

Inició el estudio del arpa con la profesora Vicenta Tormo de Calvo y, a los trece años, se examinó en el Conservatorio de Madrid de todos los cursos que componen la enseñanza de dicho instrumento. En París los amplió con Marcel Tournier y estudió composición con Eugenio Cools.

Integró el Trío de Cámara que, además de nuestro biografiado, formaron Manuel Garijo, flauta, y el violoncellista donostiarra Santos Gandía; debutó en la Asociación de Cultura Musical, de Madrid, el 26 de abril de 1932, y seguidamente emprendió una amplia jira por las Filarmónicas de España, logrando grandes éxitos, dada la superior valía de sus componentes.

Zabaleta es arpista excepcional por la bella y amplia sonoridad que obtiene, técnica extraordinaria, virtuosismo, sensibilidad y veracidad de sus interpretaciones. Lleva dados más de mil quinientos recitales en todo el mundo, y actúa como solista en las más importantes orquestas, entre otras lo ha realizado con las Filarmónicas de Berlín, Israel y Munich; Real Filarmónica, de Londres; Nacional, de España; Lamoureaux, de París; Orquesta de Filadelfia; Mozarteum, de Salzburgo, NHK, de Tokio, etc.

En 1966 ejecutó varios conciertos en los teatros Colón y San Martín de Buenos Aires, acreditando su autoridad indiscutida e interpretando composiciones de Vivaldi, Bach, Corelli, Beethoven, Gallés, Rossetti, Hindemith, Fauré, Halffter, Bochsa, Granados, Dussek, Spohr y otros. También interpretó obras de compositores vascos, tales como Guridi y Francisco de Medina.

Deseoso de ampliar el repertorio de su instrumento, no sólo ha investigado infatigablemente en archivos y bibliotecas descubriendo obras de maestros españoles, italianos y portugueses de los siglos XVI, XVII y XVIII y de algunos clásicos, sino que ha encargado Conciertos para arpa y orquesta a diversos compositores: Milhaud, Bacarisse, Villa-Lobos, Joaquín Rodrigo, Tailleferre, etc., a los que interpreta frecuentemente.

Nicanor Zabaleta engrosa el número de los internacionales Pablo Casals, José Iturbi, Andrés Segovia y Victoria de los Angeles.

ZABALZA Y OLASO, Dámaso. Pianista y compositor.

Nació en Irurita (Navarra), el 11 de diciembre de 1835. Murió en Madrid, el 27 de febrero de 1894.

En Pamplona estudió piano con Luis Vidaola y armonía con Mariano García. Se domicilió en Madrid y rápidamente logró fama como concertista tocando en palacio ante la Reina Cristina.

Fue profesor de piano del Conservatorio, y escribió varias obras didácticas que conoció Saint-Saëns en una de sus estancias en Madrid y se las llevó consigo para estudiarlas detenidamente pues, según afirmó "eran de mérito indiscutible".

Sucedió a Guelbenzu en la Sociedad de Cuartetos en la interpretación de obras de cámara con piano.

El 26 de mayo de 1861 estrenó, en el teatro del Circo madrileño, la zarzuela en un acto *El caserío o una escena en Guipúzcoa,* libro de Luis Cortés y Suaña, escritor salmantino y taquígrafo del Senado. Del libreto dijeron: "Aunque ligero, no carece de algún chiste y buen lenguaje". La música de Zabalza, que no se editó, era, según la prensa, "una colección de zortzicos agradables junto a algunas notables piezas de canto que se oyeron con gusto y se aplaudieron".

Es autor de amplia producción, buena parte de ella enraizada en el folklore vasco: las composiciones corales *Laurak bat* y *Kantaritalde donostiarrari* y, entre otras páginas pianísticas, *El canto de las montañas,* capricho de salón sobre el conocido canto popular *Maritxu; Aritzari* ("Al roble"), zortzico; *El eco del monte Auza,* fantasía sobre una melodía vasca; *Las campanas del Roncal* (a la memoria de Gayarre), ejecutada por primera vez en la velada que el Conservatorio dedicó al insigne tenor el año 1890; *Pamplona, Jota,* etc.

ZAMACOIS, Elisa. Cantante.

Nació en Bilbao, el año 1841. Murió en Nueva York, en 1916 (?).

Pronto mostró afición por la música, a cuyo estudio la alentó su padre, hombre de buen gusto, director de un colegio, quien asimismo facilitó que dos de sus hijos varones abordasen la poesía y pintura. Envió a Elisa a Madrid, donde estudió en el Conservatorio, y Francisco Asenjo Barbieri le suministró consejos muy eficaces para interpretar género lírico.

En la temporada 1957-1958 (a la sazón contaba dieciséis años de edad), debutó en el teatro de la Zarzuela, con *El marqués de Caravaca,* música del nombrado Barbieri. Logró atraer la atención de público y crítica y seguidamente cantó *Los magyares* y *El lancero,* de Gaztambide, *Los diamantes de la corona,* de Barbieri, *El planeta Venus,* de Arrieta, etc., y bastantes zarzuelas más, en el curso de tres campañas seguidas que realizó en el teatro citado. A una función en su honor asistió la reina Isabel II, que le regaló unos valiosos pendientes de brillantes.

Debido al intenso trabajo se quebrantó su salud y dejó de cantar cierto tiempo. Una vez restablecida, marchó a Italia y, con el profesor Corsi, completó su carrera. Le ofrecieron contratos para coliseos de Turín, Milán y Venecia, pero prefirió volver a su tierra. A continuación de actuar en Málaga pasó a Lisboa, donde causó admiración; consiguió tal popularidad que llamaron "zamacois" a distintos artículos, dulces, perfumes, peinados e incluso a un vaporcito que atravesaba la ría.

Reapareció en Málaga, se presentó en Valencia y nuevamente en la entonces villa y corte con *Una vieja,* de Gaztambide.

El libretista Narciso Serra y el maestro Caballero conservaban inédita una obra por no encontrar tiple con facultades suficientes para su interpretación; la encomendaron a la Zamacois que el 18 de octubre de 1867 se la estrenó; se trataba del idilio musical *Luz y sombra,* que la extraordinaria artista hizo triunfar plenamente. Dio a conocer otras producciones y en 1869 marchó a La Habana y Méjico en la gran compañía que formó Gaztambide. De regreso representó por vez primera en 1870 y 1871 *El molinero de Subiza,* de Oudrid, y *Los holgazanes,* de Barbieri, respectivamente.

Viajó para cumplir un ventajoso contrato en Lima; conoció al barítono Enrique Ferrer, con quien contrajo matrimonio. Actuó en La Habana en dos ocasiones más, reuniendo una fortuna regular.

En Madrid, en 1875 estrenaba la ópera de Bretón *Guzmán el Bueno,* y el 2 de febrero de 1876, la zarzuela *La Marsellesa,* de Caballero, de la que hizo una verdadera creación e interpretó durante una quincena de noches consecutivas, muestra de su excepcional resistencia, ya que después, otras tiples, a la cuarta representación tenían que descansar.

En 1884 se leyó en "La Correspondencia Musical" que llevaba cuatro años retirada en su hotel de la Castellana, y se esperaba volviese al teatro, pues se hallaba en el apogeo de sus facultades.

ZAPIRAIN Y URIBE, Buenaventura. Organista y compositor.

Nació en Lequeitio (Vizcaya), el 14 de julio de 1873. Murió en San Sebastián, en fecha indeterminada.

Empezó a estudiar música con el organista de la parroquia de su villa natal y la continuó con su hermano José Luis, sacerdote y organista.

A los catorce años marchó en compañía de su hermano, ya que había sido nombrado capellán del Colegio de San Bernardo, a Cobreces; Buenaventura comenzó a pulsar el órgano. Pasado algún tiempo se desplazó a San Sebastián y en 1891, a Burgos; en esta ciudad, durante un año, fue organista del Seminario de San Jerónimo; regresó a la bella Easo para, en el Colegio de los Hermanos Marianistas, desempeñar igual cargo, más el de profesor de música.

Inició la composición con varias obras religiosas, entre ellas una *Salve,* y algunas profanas para coro (una de ellas *Uxo gaxoa*), orquesta y banda y, sobre libro de Toribio de Alzaga, escribió la partitura de la ópera vasca *Txanton Piperri,* que se estrenó en el Centro Católico de San Sebastián, en 1899. Después se representó en el teatro Principal de la misma capital y en Bilbao. Se ha escuchado diversas veces, al Orfeón Donostiarra en la ciudad de su residencia y en Bilbao, en 1919 y 1920, y en el Gran Kursaal de la capital de Guipúzcoa, el 25 de diciembre de 1952.

La producción lírica nombrada valió a su autor que el Ayuntamiento y la Diputación le concedieran becas para ampliar estudios, lo que llevó a cabo en París, con Guilmant, que le aleccionó en el contrapunto y fuga, y en Madrid, donde, con el guipuzcoano Valentín Arín, perfeccionó la instrumentación.

En 1905 nombraron a Zapiráin profesor del Colegio donostiarra de Hermanos Bernardos, plaza que ocupó hasta 1928.

Compuso una segunda ópera vasca, *Amboto* —libro de Toribio de Alzaga—, que tuvo su primera interpretación en Bilbao, el 20 de mayo de 1909. Se elogió mucho su *Plegaria* juzgada perfectamente construida.

ZAVALA Y ARAMBARRI, Cleto. Compositor.

Nació en Bilbao, el 26 de abril de 1847. Murió en Madrid, el 1 de enero de 1912.

A los quince años de edad, su familia lo mandó al Conservatorio de Madrid, donde tuvo por profesores a Hernando, Mendizábal y Arrieta y obtuvo primeros premios en las asignaturas de piano, armonía y composición.

Hacia 1882 lo pensionó la Diputación Provincial de Vizcaya para ampliar estudios en Italia; uno de los trabajos de pensionado consistió en una *Misa* que se interpretó en la bilbaina Basílica de Begoña, y su audición constituyó un hecho memorable, pues es obra de gran valor y efecto.

De regreso en su ciudad natal dirigió el Orfeón Bilbaino llamado pronto "Sociedad Coral de Bilbao" a la que deparó triunfos notorios y para ella concibió su zortzico *Astarloa.*

Zavala era pianista notabilísimo, de memoria portentosa, tenía repertorio amplísimo, repentizaba de forma excepcional y dio numerosos conciertos.

En 1881 presentó en la capital de Vizcaya la ópera en un acto *La hija del pescador;* cuatro años después, en los Jardines del Buen Retiro madrileño, una rondalla ejecutó su jota dedicada a Alfonso XII.

Obtuvo premios con una marcha conmemorativa de la Jura de Alfonso XIII y con la producción coral *La caza del corsario.*

En el Centro Vasco que existió en Madrid, en la calle de la Cruz, dio a conocer *Eusko Abendaren Ereserkia,* página compuesta sobre la ezpatadantza vasca. Zavala escribió también numerosos zortzicos, entre ellos el titulado *Gloria a Bilbao.*

En Madrid desempeñó el cargo de maestro concertador en los teatros Novedades y Apolo, lo que le facilitó estrenar sus zarzuelas *El señor barón* —libro de Federico Jaques—, y *El niño de Jerez* —letra de Eduardo Montesinos y Antonio Paso—, en el teatro Eslava madrileño, el 16 de mayo y el 16 de diciembre de 1895, respectivamente. Ambas alcanzaron éxito y de la segunda perdura el famoso pasodoble del mismo nombre, que con *Viva el rumbo* popularizan a Zavala.

En colaboración con Vicente Lleó ultimó otra zarzuela, *Varietés,* libreto de Eduardo Montesinos y Pascual Frutos; su primera representación tuvo lugar en el Nuevo Teatro el 22 de marzo de 1899.

Con texto de Gonzalo Cantó, Zavala compuso la ópera en tres actos *Marcia,* galardonada en concurso convocado por la empresa de los Jardines del Buen Retiro; se estrenó el 24 de agosto de 1901 y la consideraron "triunfo indiscutible para el arte lírico nacional". Como tantas otras obras, no se ha representado más y esta partitura, en la que su autor puso su mayor esfuerzo e ilusiones artísticas, no se editó y no se encuentra en archivos ni bibliotecas, por lo que se la da por perdida.

ZUBELDIA, Ignacio de. v. GORTAZAR, Juan Carlos de.

ZUBIAURRE Y URIONABARRENECHEA, Valentín María de. Compositor.

Nació en Garay (Vizcaya), el 13 de febrero de 1837. Murió en Madrid, el 13 de enero de 1914.

Al domiciliarse en la aldea natal de Zubiaurre, como cura párroco, el sacerdote Leoncio María de Iturriaga que se complacía en enseñar solfeo a los niños, acudió Valentín, que mostraba excepcionales condiciones para la música; en la primera lección, nada más escuchar una vez la escala, la entonó a la perfección; pocos días después, en unión de dos hermanos mayores, cantó una misa a tres voces; a los ocho años ingresó como tiple en la basílica de Santiago, en Bilbao, cuya capilla dirigía Nicolás Ledesma quien, durante siete años lo aleccionó en las asignaturas de solfeo, piano, órgano y armonía.

Deseoso de probar fortuna, en 1853 se embarcó en Burdeos con rumbo a América del Sur; cinco años residió en la Guayra y tres en Caracas (Venezuela), al cabo de los cuales, y con escasas economías en los bolsillos, regresó a su tierra.

Se instaló en Madrid y en el Conservatorio, en la clase de Eslava, en el curso de cinco años, estudió composición.

Las primeras obras de Zubiaurre pertenecieron al género religioso, una de ellas es la *Misa en "La"* a cuatro voces y orquesta (estrenada en Bilbao en 1864), y son importantes cuatro *Misas* más (una de ellas de Requiem, que era su predilecta), una *Salve*, tres *Motetes* y un *Stabat Mater*.

Abordó el teatro lírico componiendo la ópera *Luis Camoens* (que no logró representar) y dos zarzuelas, una de ellas —libro de Antonio Arnao—, se dio a conocer en el teatro de la Zarzuela. Una producción notoria de Zubiaurre es su ópera *Don Fernando el Emplazado,* que recibió premio en el concurso del año 1869; bajo los auspicios del Centro Artístico y Literario se estrenó en el teatro Alhambra madrileño el 12 de mayo de 1871 y llegó al Real, el 5 de abril de 1874. Obtuvo acogida lisonjera y proporcionó a su autor gran nombradía pese a la animadversión que muchos músicos *arrietistas* sentían por Zubiaurre, que al reconocerle mérito lamentaban *fuese discípulo de Eslava.*

Pensionado, realizó un viaje por Italia, Alemania y Francia; escribió el oratorio *La Pasión,* una *Memoria* sobre el arte en los países visitados, noticias bibliográficas de compositores residente en el extranjero desde el siglo XVI, y en la Biblioteca Corsini, de Roma, descubrió que un motete atribuido a Palestrina era original de Victoria.

A su regreso, recordando la favorable acogida que tuvo *Don Fernando el Emplazado,* compuso otra ópera, *Ledia* —libro de José de Cárdenas—; tuvo su primera representación en el Real, el 22 de abril de 1877 y la siguieron seis más; logró buen éxito. El asunto se desarrolla en el País Vasco, la música contiene frases enérgicas que, como escribió el crítico de "El Globo", "retratan el carácter de aquellos vascones que detuvieron en cien lides sangrientas las haces romanas, que enterraron las águilas de Carlo Magno en la jornada de Roncesvalles, y que al grito de independencia, que resonó de valle en valle y de monte en monte, hicieron morder el polvo a las huestes de los caudillos agarenos". En la partitura se halla un hermoso zortzico juzgado como "obra maestra en su género, lleno de frescura y carácter". Zubiaurre con *Ledia* se anticipó a la ópera vasca; por ella le concedieron la Encomienda de Carlos III.

En la época en que concibió *Don Fernando el Emplazado,* el músico vizcaino se encontraba en plena actividad cradora y ultimó una *Sinfonía en "Mi" mayor,* cuyo Scherzo tocó la Orquesta de la Sociedad de Conciertos, el 17 de abril de 1870. Tres años después lo nombraron segundo maestro de la Capilla Real, pasando a ocupar el cargo de primero al morir Eslava (1878). Fue académico de número de la Real de Bellas Artes de San Fernando y profesor de la clase de conjunto instrumental del Conservatorio.

Admiraba el folklore de su país natal y, en homenaje a él, escribió varios zortzicos de profunda esencia vasca, como *Ama euskeriari azken agurra.*

BIBLIOGRAFIA:

A. Miró Bachs, "Cien músicos célebres españoles", "Valentín Zubiaurre", pág. 114. Pentagrama. "Ediciones Ave". Barcelona, 1942.

ZUBIZARRETA Y ARANA, Víctor de. Organista y compositor.

Nació en Bilbao en 1899. Murió en la misma capital, el 13 de noviembre de 1970.

A los doce años de edad sustituía en el órgano de la parroquia de San Nicolás de Bilbao, al maestro Baldor mostrando su precocidad musical.

Terminó sus estudios en el Conservatorio de Madrid. De regreso en la capital de Vizcaya empezó a dar recitales de órgano, obteniendo éxitos en San Sebastián, Vitoria, Valladolid, Sevilla, Madrid, etc.

Viajó por Francia e Italia; en Roma se relacionó con el abate Perossi, director de la Capilla Sixtina del Vaticano.

En 1926 fundó en su ciudad natal la "Schola Cantorum Santa Cecilia", con la que realizó memorables actuaciones.

Zubizarreta es autor de obras para piano y órgano, música religiosa, *Rapsodia vasca, Sonata para violín y piano, Preludios vascos, Cuarteto* para instrumentos de arco, *Fantasía vasca* —dada a conocer por la Orquesta Sinfónica bilbaina, *Kardin* —ballet en tres actos de asunto vasco—. Su producción coral es importante, en ella se destacan: *Ama begira zazu, Erriko pesta, Agur ene maitia* y *Mendiko negarra;* para txistu ha escrito numerosas páginas, una de ellas, publicada en el boletín "Txistulari", en el número doce, del cuarto trimestre de 1957, armonizada para dos txistus y silbote, la integran: *Aurresku, Zortzico, Euzkal. soñua edo banabanakua, Contrapas, Zortzikoa* y *Biribilketa.*

El maestro Zubizarreta, que ha dirigido orquestas y orfeones, se encuentra entre los compositores que contribuyeron a la composición del "Homenaje pianístico a la memoria de Juan Crisóstomo de Arriaga", con su obra para piano *In memoriam* que encaja perfectamente en el "Homenaje" al genial bilbaino por su carácter severo y solemne, pero al propio tiempo sencillo y simpático como corresponde a una composición dedicada a aquel joven maestro, también exento de ampulosidades y rebuscamientos en sus perfectas, espontáneas y bellas composiciones.

Zubizarreta desempeñó la dirección del Conservatorio Vizcaino de Música "Juan Crisóstomo de Arriaga" y fue organista titular, hasta su fallecimiento, de la Basílica de Nuestra Señora de Begoña, de Bilbao.

ZULAICA Y AGUIRRE, José Gonzalo. "Padre Donostia". Compositor guipuzcoano.

Nació en San Sebastián, el 10 de enero de 1886. Murió en Lecároz (Baztán, Navarra), el 30 de agosto de 1956.

En su villa natal empezó a estudiar con Eleuterio Ibarguren, Toribio Mújica y Gabiola. A los diez años ingresó en el Colegio de Capuchinos de Lecároz y cursó bachillerato y armonía, ésta con Ismael Echazarra.

En el noviciado capuchino del Colegio de referencia vistió Zulaica el hábito de San Francisco; ordenado sacerdote, en 1908, fue profesor en el centro docente hasta 1918 en que sus superiores le concedieron amplia licencia para completar y ejercer la profesión musical.

A los once años compuso varias obras apreciables; en 1901, escuchó una conferencia acerca de música popular a Resurrección María de Azkue, otra en 1906 a Francisco Gascue, esto, más la lectura de canciones publicadas por Carlos Bordes, le aficionó a nuestras tonadas; recogió y anotó melodías por el valle de Baztán, Sara (pueblecito de Laburdi) y por diversos puntos del País Vasco; muchas, después de estudiarlas concienzudamente, las utilizó en composiciones venideras, como en *Ikazkina mendian,* en las contenidas en los dos cuadernos *Euskel-Eresiak,* en sus tres colecciones *Güre Herria, Trois Chants Basques* y *Mendi-Lore,* en *Seaska-Euzko-Abestiak,* dos Ofertorios sobre temas vascos, etc.

Los veranos de 1909 y 1915 los pasó en las abadías de Silos y de Besalú, en las que completó su formación musical gregoriana. En París recibió lecciones de Eugenio Cools. Varias estancias en Barcelona le depararon relacionarse con Granados, Pedrell y Apeles Mestres a quien musicó varias poesías, entre ellas las que integran *Diez canciones,* para coro.

En 1915 el padre Donostia era ya autor de numerosos *Preludios vascos,* para piano, que le han proporcionado fama imperecedera, y de *Ocho melodías populares vascas, Andante para una Sonata vasca* (para piano), *Suite vasca,* etc.

Los *Preludios vascos Oñazez* (De dolor), *Aitonaren ele-zaarrak* (Cuentos viejos del abuelo), *Seaska aldean eresiz* (Canción de cuna) y *Bordako atalarrian* (A la puerta del caserío), los estrenó con gran éxito el concertista y compositor navarro Joaquín Larregla, en el teatro Español, de Madrid, el 28 de febrero de 1916.

El 19 de enero de 1917, tres *Preludios vascos* más, del padre Donostia, fueron dados a conocer en la Sociedad Nacional de Música, por la Orquesta Filarmónica, bajo la dirección del maestro Pérez Casas. El primero, *Urruti-jaya* (Romería lejana), presenta un motivo de ritmo característico del Baztán; el segundo, *Irulea* (La hilandera), sentida página, contiene una melodía popular laburdina, que el compositor Gabriel Pierné utilizó en su ópera *Ramuntxo,* y el tercero, *Aur-dantza* (Baile infantil), es poético y rico en bellezas melódicas.

El poeta francés Enrique Ghéon, que dedicó su actividad principal a fomentar el teatro popular cristiano, encargó al padre Donostia las ilustraciones musicales para sus obras *Los tres milagros de Santa Cecilia, La vida profunda de San Francisco de Asís* y *La Navidad de Greccio o El sermón de Francisco ante el pesebre,* que se estrenaron en París, en los años 1921, 1926 y 1936, respectivamente, con acogidas favorables por público y crítica.

La composición del padre Donostia *Paysage,* para flauta y cuarteto de cuerda, muestra los ecos debussystas que se advierten incluso en las producciones que basó en el folklore vasco. Del pueblo vasco tomó sus cantos a los que en sus creaciones dio alientos, vuelos de modernidad, mediante una técnica contemporánea y, todo, a través de su personalidad delicada, poética, de artista de sensibilidad excepcional, refinada y exquisita. "Tiene usted el arte supremo de la sencillez elegante", le escribió el doctor Marañón acerca de una disertación que le escuchó. El padre Donostia pronunció gran número de conferencias sobre el folklore vasco, publicó numerosos artículos musicológicos, asistió a importantes congresos internacionales, perteneció a diversas Academias nacionales y extranjeras y se cuenta entre los fundadores del Instituto Español de Musicología.

Admirador de las glorias musicales de su País Vasco, se propuso componer un tríptico para piano en *Homenaje a Arriaga.* Parece ser que sólo escribió un tiempo, especie de Tiento, con giros y cadencias que recuerdan la música para txistu; encabezó el "Homenaje pianístico a la memoria de Juan Crisóstomo de Arriaga", creado por diecinueve compositores vascos, que se estrenó en Bilbao y Madrid en 1959. Otra prueba de su interés por los maestros paisanos es la edición de "Música de tecla en el país vasco, siglo XVIII", recopilación y notas suyas, en las que ha sacado a la luz páginas de músicos olvidados, pero autores de piezas notables, que muestran que en nuestra tierra, en el siglo nombrado, tuvimos compositores de interesantes obras para piano.

En 1951 publicó también, en la Biblioteca Vascongada de Amigos del País, la interesante obra *Música y Músicos en el País Vasco.*

Pese a sus constantes viajes y permanencias en el extranjero, siempre acudía al Colegio de Lecároz, su lugar de estudio, de trabajo y de retiro, puede decirse que durante sesenta años, y en él murió.

BIBLIOGRAFIA:

Padre Jorge de Riezu, "Vida, obra y semblanza espiritual del padre José Antonio de Donostia, capuchino", "Ediciones Verdad y Caridad", Pamplona. (Sin fecha de edición).

Angel Sagardía, "Cuatro músicos vascos: Padre Donostia, Usandizaga, Tellería y Arámbarri", Ediciones de Conferencias y Ensayos, Madrid, 1965.

FIN

PUBLICACIONES DE LA EDITORIAL

LECCION AUÑAMENDI

.—**Los Caballeros de Azkoitia,** por la Academia Errante, 56 págs.
.—**Oro del Ezka.** M. Estornés Lasa, 304 págs. 2.ª edic.
.—**Lope de Aguirre, descuartizado,** la Ac. Errante, 240 págs. (Anexa)
.—**Saint-Cyran.** José de Arteche, 192 págs. 3.ª edición.
.—**Sobre la generación del 98,** por la Ac. Errante, 168 págs. (Anexa)
.—**El Ducado de Vasconia.** B. Estornés Lasa, 234 págs. (agotado).
.—**Homenaje a D. J. M. de Barandiarán,** por Ac. Errante, 232 págs.
.—**La Raza Vasca.** Vol. I. Aranzadi, Barandiarán, Etcheberri, 200 págs. y fotos.
.—**Retablo Vasco.** (Huarte, Ravel, Paoli, Gayarre). Isidoro de Fagoaga (agotado).
.—**A ras de tierra.** (Paseos arqueológicos), por I. Arocena, 128 págs.
.—**Charlas sobre el país vasco, la mujer y el niño.** Mme. D'Abbadie d'Arrast, 244 págs. (agotado).
.—**Ensayos de Historia local Vasca,** por I. Zumalde, 244 págs.
.—**Animales salvajes del país vasco.** Pertica, 200 págs. (agotado).
.—**Coplas roncalesas de la tía Martina.** I. 64 págs. (Anexa)
.—**Coplas roncalesas de la tía Martina.** II. 88 págs. (Anexa)
.—**Jaizki el Proscrito** (novela). Luis del Campo, 260 págs. (agotado).
.—**Garibay.** F. Arocena, 156 p. (ag.)
.—**Lengua vasca de hoy y de mañana,** por Justo-Mari Mokoroa, 126 págs. (Anexa).
.—**Anuario de Eusko-Folklore. 1960.** 212 págs. (agotado).
.—**El mundo en la mente popular vasca.** J. M. de Barandiarán, 198 págs. t. I. 2.ª edic.
.—**Geografía histórica de la lengua vasca, I.** (s. XVI al XIX). Irigaray, Barandiarán, Munárriz, Michelena, etc., 176 págs., (2.ª edic.).
.—**Geografía histórica de la lengua vasca, II.** (siglos I al XVI), **J. M.** Lacarra, J. J. B. Merino Urrutia y otros, 168 págs. Prox. reedición.
15.—**Los Errotazar - Soroa - Larralde** (novela). M. Estornés Lasa, **278** págs. (agotado).
16.—**Descripción gráfica de la costa vasca.** I. de Sollube, 176 págs.
17.—**Nuestra pequeña historia.** Fausto Arocena, 200 págs.
18.—**El mundo en la mente popular vasca.** J. M. de Barandiarán, **t. II,** 166 págs., 2.ª edición.
19.—**Nobleza y Fueros Vascos: Laburdi.** Abbé Haristoy, 248 p. (agot.).
20.—**Diálogos del Camino.** Miguel Pelay Orozco, 200 págs. (agotado).
21.—**Los titanes de la cultura vasca.** Gregorio Múgica, 202 págs.
22.—**Poesías populares de los vascos, I.** F. Michel. - A. Irigaray, **190 págs.**
23.—**Gentes vascas en América.** M. Estornés Lasa, 192 págs.
24.—**La Raza Vasca.** Vol. II. Jauregulberry, Aranzadi, 206 págs. Próxima reedición.
25.—**Destellos de Historia Vasca, I.** G. de Múgica, 196 págs. (agotado).
26.—**Destellos de Historia Vasca, II.** por G. de Múgica, 206 págs. (agotado).
27.—**El mundo en la mente popular vasca, III,** por J. M. de Barandiarán, 174 págs., 2.ª edición.
28.—**Vascorama. En torno al pueblo vasco,** (humorística), por **V. Ruiz** Añibarro, 204 págs.
29.—**Poesías populares de los vascos, II.** F. Michel y A. Irigaray, 224 págs.
30.—**Danzas de Euskalerri, I,** por **G.** Barandiarán, S. J., 180 págs.
31.—**Danzas de Euskalerri, II,** por **G.** Barandiarán, S. J., 178 págs.
32.—**Diccionario Biográfico Vasco, I. Guipúzcoa.** F. Arocena, 216 págs.
33.—**Fantasía y realidad. - Antología literaria vasca, I.** 204 págs.
34. **Fantasía y realidad. - Antología literaria vasca, II,** 228 págs.
35.—**Donostia, Capital de San Sebas-**

tián. J. M. Arozamena, 216 págs.
36.—**Sobre el pasado de la Lengua Vasca.** L. Michelena, 200 págs. (agotado).
37.—**Bosquejo de historia del Bersolarismo.** A. Zavala, S. I., 196 págs.
38.—**La «argizaiola» vasca,** por Luis Pedro Peña Santiago, 200 págs.
39.—**Unamuno a orillas del Bidasoa y otros ensayos,** por Isidoro de Fagoaga, 196 págs.
40.—**Refranero Vasco. Los refranes y sentencias de 1596,** por Julio de Urquijo, 166 págs.
41.—**Urdin eta Burni, Azul e Hierro,** por Luis M. Mujika, 208 págs.
42.—**Teatro euskaro. Notas para una historia del arte dramático vasco,** A. M.ª Labayen, 172 págs.
43.—**Teatro euskaro. Entrevistas. Reseñas. Crónica. Catálogo de obras dramáticas.** A. M.ª Labayen, t. II, 192 págs.
44.—A-Apar.—**Diccionario Auñamendi, Español-Vasco,** 248 págs.
44.—Apar-Bear.—**Diccionario Auñamendi, Español-Vasco,** 192 págs.
44.—Bear-Cale.—**Diccionario Auñamendi, Español-Vasco,** 176 págs.
44.—Cale-Cast.— **Diccionario Auñamendi, Español-Vasco,** 184 págs.
44.—Cast-Clar.— **Diccionario Auñamendi, Español-Vasco.** 148 págs.
45.—**Literatura oral vasca.** M. de Lecuona, 224 págs.
46.—**Con fondo de chistu.** Antonio Valverde, 166 págs.
47.—**Pórtico Euskariano. Signo, estilo y comportamiento de nuestros héroes.** M. Pelay, 208 págs.
48.—**Cien autores vascos.** N. de Cortázar, 148 págs.
49.—**El mundo en la mente popular vasca.** J. M. de Barandiarán, 144 págs., t. IV.
50.—**Auñamendiko Lorea. La Flor del Pirineo.** D. de Aguirre. (novela bilingüe), 208 págs. t. I.
51.—**Auñamendiko Lorea. La Flor del Pirineo.** Domingo de Aguirre, (novela bilingüe), 188 págs., t. II.
52.—**Peregrino de la ira. Asarre bidetan.** José Acosta Montoro, (teatro bilingüe), 130 págs.
53.—**Fantasía y realidad. - Selecció[n li]teraria vasca,** varios, 172 págs.
54.—**Cómo son los Vascos?** B. y M. [Es]tornés Lasa, 188 págs.
55.—**Refranero Vasco. Los refrane[s y] sentencias de 1596,** por Julio [de] Urquijo, 160 págs., t. II.
56.—**Cancionero popular del País V[as]co.** J. M. de Arratia, 180 pgs. [t.]
57.—**Sobre la enseñanza primaria [en] el País Vasco.** Fr. José Ign[acio] Lasa y Colab. Auñ., 160 págs.
58.—**El alma ríe.** I. Linazasoro, 200 pá[gs.]
59.—**Cancionero popular del País V[as]co.** J. M. de Arratia, 168 pgs. t.
60.—**Mujeres en Berrigorria. Ito edo kondu.** V. Ruíz Añibarro, 216 pá[gs.]
61-62.—**Geografía del País Vasco.** I. Sollube, vol. I, 232 págs.
63-64.—**Geografía del País Vasco.** I. Sollube, vol. II. 148 págs.,
65-66.—**Juan Ignacio Iztueta Echeve[rría] (1767-1845).** Jesús Elósegui, [...] págs.
67-68.—**Danzas de Euskalerri. III,** G. Barandiarán, S. J., 240 págs.
69-70.—**Los orígenes del reino de Navarra,** J. Arbeloa, vol. I, 212 pá[gs.]
71-72.—**Los orígenes del reino de Navarra,** J. Arbeloa, vol. II, 208 pá[gs.]
73-74.—**Los orígenes del reino de Navarra,** J. Arbeloa, vol. III, 208 pá[gs.]
75-76.—**Don García Almorabid,** A. Ca[m]pión, 264 págs.
77.—**Los Vascos y la Universidad,** Jo[sé] Estornés Lasa, vol. I, 156 págs.
78.—**Los Vascos y la Universidad,** Jo[sé] Estornés Lasa, vol. II, 164 pá[gs.]
79.—**Euskal esku-langintza. Artesa[nía] vasca.** Juan Garmendia, 148 pá[gs.] t. I.
80.—**Euskal esku-langintza. Artesa[nía] vasca.** Juan Garmendia, 148 pá[gs.] t. II.
81.—**Pintores Vascos.** Luis Madaria[ga] 188 págs. t. I.
82.—**Pintores Vascos.** Luis Madaria[ga] 180 págs. t. II.
83.—**Pintores Vascos.** Luis Madaria[ga] 188 págs., t. III.
84.—**Historia del Pueblo Vasco.** Federi[co] de Zabala, vol. I, 192 págs.
85.—**La emigración vasca,** Pierre Lhand[e] S.J., vol. I, 172 págs.

-**La emigración vasca,** Pierre Lhande, S. J., vol. II, 168 págs.
-**Historia del Pueblo Vasco,** Federico de Zabala, vol. II, 184 págs.
-**Cancionero popular del País Vasco.** J. M. de Arratia, 170 págs., t. III.
-**Cancionero popular del País Vasco.** J. M. de Arratia, 170 págs., t. IV.
-**Bilbilis.** Pierre Lhande, 264 págs.
-**Euskal esku-langintza. Artesanía vasca.** Juan Garmendia, 200 págs., t. III.
-**Euskal esku-langintza. Artesanía vasca.** Juan Garmendia, 168 págs., t. IV.
-**Músicos Vascos.** Angel Sagardia, 160 págs. t. I.
-**Músicos Vascos.** Angel Sagardia, 160 págs. t. II.
-**Músicos Vascos,** Angel Sagardia, 160 págs. t. III.

LECCION AZKUE

—**Gramática Vasca.** Umandi, 592 páginas. (Agot.).
—**Quousque tandem...! Interpretación estética del alma vasca,** por J. Oteiza, 300 págs. y 65 ilustr. (Agotado).
—**Musika Ixilla.** Poesías. La Música Callada, del P. Gaztelu (bilingüe), 260 págs.
—**Pablo Uranga.** Su vida, obra y anécdotas, M. Flores Kaperotxipi, 116 págs., y 51 ilustraciones.
—**Idiazábal,** por Ignacio Iparraguirre, S. J., 260 págs.
—**Gramática del Euskera.** B. Arrigaray, 416 págs.
—**San Sebastián. Guía caprichosa,** por R. Zulaica, 156 págs.
—**Diccionario Vasco-Español,** por Isaac López Mendizabal, 452 págs.
—**Religión prehistórica de los vascos** por Anastasio Arrinda, 300 págs.

CICLOPEDIA GENERAL ILUSTRADA L PAIS VASCO

Cuerpo A. Diccionario Enciclopédico. Contiene por orden alfabético los temas concernientes al País Vasco. Ilustrado en color y en negro. Vol. **A-Amuzti.** 654 págs.; vol **An. Artazu,** 656 págs.; vol. **Artazubi-Balzategui,** 624 págs.
Cuerpo B. Literatura, vols. I y II, de 720 y 584 págs. respectivamente. **Juegos y deportes vascos,** 688 págs.
Cuerpo C. Bibliografía. Vol. **I. A-Biblia.** 704 págs.
Encuadernado en lujosa piel americana y cubiertos de plástico cristal. Tamaño 27 cm. por 18,5 cm.
En prensa: **Diccionario**, vol. IV y vol. II de **Bibliografía.**
Consulte PRECIOS DE SUSCRIPCION A LA OBRA COMPLETA. Facilidades y precios especiales.

COLECCION «RECUERDOS»

1.—**Recuerdo de Erronkari** (Valle del Roncal) con 45 fotografías.
2.—**Recuerdo del Valle de Salazar y Almiradio de Nabascués, con** 52 fotografías.
3.—**Recuerdo de Erronkari** (Salazar y Nabascués) con 96 fotografías, dibujos y portada en color.

LENGUA VASCA

1.—**Gramática Vasca.** Umandi, 462 páginas, (agotado).
2.—**Cómo aprender el vasco fácilmente.** J. Estornés Lasa, 296 págs., 2.ª edición.
3.—**Método elemental de vasco.** J. Estornés Lasa, 88 págs.
4.—**Brabanteko Genoveva.** Schmid-Arrue, 142 págs. (Agotado).
5.—**Manual de conversación erdera-euskera.** I. L. Mendizabal, 368 págs.
6.—**Euskalerriko leen gizona.** J. M. Barandiarán. (Agotado).
7.—**Compendio de Gramática del Euskera.** I. L. Mendizábal, 86 páginas. agotado.
8.—**Diccionario Vasco-Español,** por Isaac López Mendizabal, 452 págs.
9.—**Diccionario Vasco-Español y Español-Vasco,** (6.000 voces cada uno), por J. Estornés Lasa (en prensa).
10.—**Auñamendi'ko Lorea,** por Domingo Aguirre.
11.—**Asarra Bidetan.** Agirre'tar Lope'ren jokaldia azaltzen duan antzer-

kia. Akosta eta Montoro'tar Joseba'k egiña ta Murua'tar Erramune'k euskeratua. Euskeraz eta erderaz. 96 orrialde.

12.—**Sobre Historia y Orígenes de la Lengua Vasca,** por Bernardo Estornés Lasa. 292 págs. Ilustraciones en negro y color.

13.—**Erronkari'ko Uskara,** por José Estornés Lasa. 124 págs., con Ilustraciones de Borde y Alvarez. Edición patrocinada por la Institución Príncipe de Viana de la Diputación Foral de Navarra.

14.—**Ito edo Ezkondu.** V. Ruiz de Añibarro. Traducción al euskera de N. Etxaniz. Euskeraz eta erderaz.

15.—**Gramatika Vasca.** B. Arrigarai. En prensa.

LOS TITULOS 3, 4, 5, 8, 10 (dos tomos), 11, 13 y 14 son bilingües, propios para estudiantes de euskera.

SERIE ARALAR

1.—**Orígenes de los Vascos, civilizaciones primitivas, albores históricos.** B. E. Lasa, 418 p. 182 ilustr., dos colores. 2.ª edic.

2.—**Orígenes de los Vascos. Romanización, testimonio y orígenes de la lengua vasca.** B. E. Lasa, 472 págs., 235 ilustr., dos colores, 2.ª edic.

3.—**Orígenes de los Vascos, sus huellas por el mundo, parentesco otros pueblos, el enigma d nombre,** por B. E. Lasa, 460 p. más de 200 ilustraciones en c

4.—**Orígenes de los Vascos. Me jes orales, conclusiones especi y generales,** 460 págs. Más de ilustraciones. Dos colores.

5.—Euskaldunak poema eta olerki ziak.—**Poema los Vascos y poe completas.** De Nicolás Ormaet **«Orixe».** Edición bilingüe, ori y traducción del autor. 752 pá a dos colores, con quince lito fías de Antonio Valverde, **«Aya**

6.—Historia y Fueros del País Vasc **Historia de los fueros de Nav Vizcaya, Guipúzcoa y Alava.** Amalio Marichalar, Marqués Montesa y Cayetano Manrique. ción facsímil de la segunda ción, corregida y aumentada 1868. 684 págs. de texto, más págs. de ilustraciones encarta sobre temas forales. Obra ma tra en su género.

Encuadernados en lujosa piel americ y cubiertos de plástico cristal. Tam 24,7 cms. por 17,5 cms. (Obras Se tas.)

Anuario de Eusko-Folklore. Tomo

¡¡MAGNIFICO REPORTAJE GRAFICO!!

Cada tomo de la **ENCICLOPEDIA** se convierte en un documental vivo gracias a las fotografías e ilustraciones que acompañan casi todas sus páginas. Todo se ve y entra por los ojos: la foto y el dibujo en negro o en colores, el mapa aclaratorio, el esquema que resume datos, el retrato de un personaje, las reproducciones de pinturas, esculturas, o los colores y figuras de un escudo de armas.

Color, línea, figura, sugerencia, idea...

Queremos que cuanto es Euskalerría, su gente y su vida desfile como en un documental por las páginas de esta primera y única Enciclopedia por fuera y por dentro.

¡¡VARIEDAD Y RIQUEZA!!

Los artículos del **DICCIONARIO** son variadísimos, tantos, como pueblos, personajes y temas dignos de figurar en sus páginas.

Hay tres clases de artículos: **generales, especiales y concretos.** Son **generales** los que tratan de temas amplios, como en la palabra DEPORTE, AGRICULTURA, MUSICA, ECONOMIA. Son **especiales** los que se limitan a un asunto menos general, como CICLISMO, REGATAS, PELOTA, MAIZ, QUESO, etc. Y son **concretos** los que tratan de la vida de personajes o de ciudades, pueblos o instituciones, como ELCANO (Juan Sebastián de), DURANGO, SESMA, BIDART, AZPEITIA o AMURRIO. Y también otros como ARRIAGA (Cofradía de), PASE FORAL, ORDENANZAS DE BILBAO, FUERO DE ESTELLA, CARACAS (Compañía de)...

Esta estructura metódica y ordenada asegura una armoniosa distribución de la cultura vasca y una fácil y rapidísima información al alcance de todos. Ud. encuentra instantáneamente lo que desea.

A esta variedad de temas se añade una gran riqueza de ilustraciones.